MW01028412

# LOS PIES EN EL SUELO, LA CABEZA EN LAS ESTRELLAS

Dr. Lair Ribeiro

# LOS PIES EN EL SUELO, *LA CABEZA* EN LAS ESTRELLAS

Versión para jóvenes de todas las edades del libro *El éxito no llega por casualidad*

EDICIONES URANO

Argentina - Chile - Colombia - España
México - Venezuela

Título original: *Pés no chão, cabeça nas estrelas*
Editor original: Editora Moderna Ltda., São Paulo, Brasil
Traducción: Joan Salvador Vergés


Aribau, 142, Pral. - 08036 Barcelona
info@edicionesurano.com

ISBN: 84-7953-216-5
Depósito legal: B-15.865-2000

Fotocomposición: Alejo Torres - C. de Sants, 168 - 08028 Barcelona
Impreso por I. G. Puresa, S. A. - Girona, 206 - 08203 Sabadell (Barcelona)

Impreso en España - *Printed in Spain*

# ÍNDICE

1. El empleo más extraño del mundo 9
2. Conseguirlo 13
3. El éxito no es lo mismo que la felicidad 19
4. La ciencia del éxito 25
5. Quien cree, gana 31
6. Percibe lo real 37
7. El poder del cambio 43
8. Nadie es perfecto 49
9. Fuera los condicionamientos 57
10. Aprende a pensar de forma directa 65
11. Hay que creerlo para verlo 73
12. Dos cerebros en uno 79
13. Gústate más a ti mismo 87
14. Mejora tu vida 99
15. Habla contigo mismo 107
16. Piensa antes de hablar 115
17. Los ojos en los ojos 127

18. El imperio de los sentidos 133
19. Descubre tus metas 141
20. Piensa a lo grande 151
21. Cambia tu forma de ver el mundo 161
22. El gran desafío 169
23. La vida es muy complicada 177
24. Trabajas para ti mismo 183
25. La suerte no existe 189
26. Las cosas cambian 193
27. Aprovecha el tiempo 199
28. La cabeza en las estrellas 203
29. Los pies en el suelo 209
30. Los hemisferios cerebrales 215
31. Ser tu propio dueño 219
32. Prevé tu futuro 225
33. Visión global 231
34. Para terminar, otra historia 235

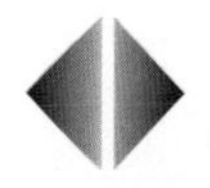

# 1

# EL EMPLEO MÁS EXTRAÑO DEL MUNDO



Érase una vez un joven de 19 años. Como mucha gente de la misma edad, no sabía muy bien qué hacer con su vida. Al igual que la mayoría de los jóvenes, no se perdía ni una fiesta. Y fue precisamente en una de esas fiestas donde encontró el sentido y el desafío de su vida. Se llamaba Napoleon Hill, y la historia que explico a continuación es real.

Durante esa fiesta, conoció a Andrew Carnegie, uno de los hombres más ricos de su época, y se puso a

# *Vayamos* **despacio,** *pues tenemos* **prisa**

charlar con él. Carnegie se quedó tan impresionado por la inteligencia de Napoleon que le ofreció un empleo: un trabajo bien pagado, pero de lo más extraño.



Esto es lo que le propuso el multimillonario: que él, Napoleon, un joven de 19 años, iniciara una investigación para descubrir qué tenían en común las personas que triunfaban en la vida, cuáles eran los elementos que conducían a la consecución del éxito.

Sólo un detalle: la investigación tendría que prolongarse durante 25 años.

Napoleon no aceptó de inmediato. Le pidió que le dejara una semana para pensárselo, y al final aceptó. Empezó por seleccionar a mil millonarios de Estados Unidos. Pero, como todo el mundo está harto de escuchar, el dinero por sí solo no hace la felicidad. Por esta razón, redujo la lista a quinientas personas que, además de ser ricas, gozaban de buena salud, equilibrio personal y prestigio social, y mantenían buenas relaciones con los demás.

Así empezó un trabajo fascinante que, efectivamente, le llevó 25 años. Napoleon analizó con profundidad lo que todas estas personas tenían en común, y cómo habían alcanzado el éxito. Y llegó a una serie de conclusiones que incluyó en un libro titulado: *La clave de la riqueza.* De los 19 a los 44 años de edad, Napoleon Hill dedicó su vida a descubrir los factores y las actitudes personales que conducen al éxito. Aprendió mucho, tanto que él mismo acabó por triunfar, y la mayoría de sus conclusiones aún son válidas hoy en día.

A lo largo de este libro, presentaré algunas de las fórmulas de Napoleon Hill. Gracias a él, y a otros como él, no tendrás que pasarte 25 años rompiéndote la cabeza. Listo: ¡has empezado con buen pie!

# 2

# CONSEGUIRLO



## LA DIFERENCIA QUE MARCA LA DIFERENCIA

La primera conclusión a la que llegó Napoleon Hill, una de las principales, es:

La diferencia entre quien alcanza el éxito y quien no lo alcanza es muy pequeña.

Es cierto: la distancia es muy inferior a lo que cabría esperar. El éxito puede medirse incluso en centímetros.

# LAS LEYES BÁSICAS DEL ÉXITO

## *Aprender con el Universo*

El tiempo nos enseña a todos, aunque te puedes morir de tanto esperar. Si eres de aquellos que creen que sólo se puede aprender algo con el paso del tiempo, ciertamente sufrirás con la espera. Pero si eres inteligente, aprovecharás la experiencia de los demás.

Quien mejor te enseñará todo esto es el mismo Universo. Si consigues fijar en tu mente las Leyes Universales, alcanzarás muy pronto el éxito y la sabiduría.

El Universo es muy inteligente; está organizado y regido por leyes perfectas, leyes que tienen como objetivo instaurar el orden en vez de la confusión, la salud en lugar de la enfermedad, el amor en sustitución del odio, la sabiduría en vez de la ignorancia, y que pueden hacer que un momento fugaz dure para siempre.

I

¿Cómo es posible? Imagina la final de los 100 metros lisos en unos Juegos Olímpicos. Los atletas se han pasado años preparándose, con entrenamientos y dietas especiales. Y al final, todo se decide en 10 segundos de carrera.

¿Qué diferencia al vencedor del segundo clasificado? Milésimas de segundo. Lo único que se necesita para ganar una medalla de oro es ir algunos centímetros por delante. Al cabo de una semana, todos recordarán al atleta que consiguió la medalla de oro, y nadie se acordará del que se llevó la de plata. Y la diferencia entre ellos habrá sido mínima.

Lo mismo ocurre en nuestra vida: una pequeña diferencia puede ser de suma importancia. Que un profesional gane tres veces más que uno de sus colegas no significa que sea tres veces más inteligente. Que un estudiante saque notas dos veces superiores no significa que sea dos veces mejor que sus compañeros.

No obstante, ahí está la diferencia entre ganar dinero y no ganarlo, entre aprobar el curso y no aprobarlo, entre ingresar en la Universidad y tener que prepararse un año más para el examen de ingreso. Esa pequeña diferencia es la causa del éxito.

*Quien no conoce*
*la* **causa**
*no consigue*
*repetir el* **efecto**

*El éxito se mide*
*en segundos.*

# 3

# EL ÉXITO NO ES LO MISMO QUE LA FELICIDAD



## ¿QUÉ ES ENTONCES?

Piensa un poco en tu vida, y en la vida de las personas que te gustan. ¿Cómo estás hoy? ¿Has conseguido realizar todos tus sueños o sólo algunos? ¿O es que has desistido de soñar?

Ahora piensa en las personas que admiras. Tal vez un amigo, un familiar, incluso Jacques Villeneuve, Tom Cruise o Michael Jordan, quien tú quieras. Imagina a esas personas con todo lujo de detalles. Piensa en su cara, en su voz, en sus actitudes, en todo lo que te venga a la cabeza.

20
CUALIDADES

## LA LEY DEL AUMENTO
### *Aprender a enfocar*

Todo aquello en lo que piensas muchas veces aumenta de tamaño. Si estás convencido de que eres un mal estudiante de matemáticas, entonces irás empeorando en lugar de mejorar. Pero si piensas en cosas buenas, en tus cualidades, por ejemplo (aunque sea en aquellas que te gustaría tener), conseguirás que aparezcan y crezcan cada vez más dentro de ti.

Escribe a continuación 10 cualidades que te gustaría tener. Por ejemplo:
1. Ser bueno jugando al fútbol.
2. Ser más desinhibido.

**1.**________________ **6.** ________________
**2.**________________ **7.** ________________
**3.**________________ **8.** ________________
**4.**________________ **9.** ________________
**5.**________________ **10.** ________________

Si piensas en estas cualidades todos los días, dentro de 21 días las tendrás tan metidas en la cabeza, que pasarán a formar parte de ti. De este modo te será más fácil conseguir lo que tanto deseas.

*Tanto si piensas que puedes como si piensas que no puedes, de cualquier modo estás en lo cierto.*
***Henry Ford***

II

Ahora, procura entender los motivos por los cuales admiras a esas personas. A partir de este momento, dirige la mirada hacia tu interior.

¿Cuántas cosas has dejado de hacer porque suponías que no te saldrían bien? ¿Cuántos sueños has pospuesto convencido de que «no era el momento oportuno»?

¿Crees que has alcanzado todo lo que deseabas en la vida? ¿Quieres más? ¿Crees en ti? ¿Qué te falta para ser una persona de éxito? Esto es precisamente lo que explicaré a continuación: un método que te preparará para el éxito.

Se le puede dar a la palabra Éxito distintos significados. Cada persona tiene una definición. Pero daré una sencilla y amplia, que servirá para todo el mundo:

**¡El éxito es conseguir lo que se desea!**

No confundas el éxito con la felicidad. Son palabras hermanas, pero con significados diferentes. La mejor definición para ese estado de espíritu es la siguiente:

## La felicidad es apreciar lo que ya se ha conseguido.

Es decir, para ser feliz no se necesita demasiado. Basta con estar satisfecho con lo que uno ya posee.

Sólo es cuestión de aceptar lo que tienes, concentrando tu mente en ese objetivo. Pero, cuidado, porque tampoco se trata de que te conformes con las cosas malas de tu vida. Puedes ser feliz y ambicionar más todavía.

Pero no asocies el éxito con la felicidad. A pesar de que ambas cosas casi siempre están relacionadas, son independientes.

Este libro no tiene la fórmula mágica de la felicidad. Ser feliz es una actitud personal, una decisión que sólo tú puedes tomar, algo que debe surgir de tu interior.

*Tu* **héroe** *también fue al principio alguien normal y corriente, un* **desconocido**

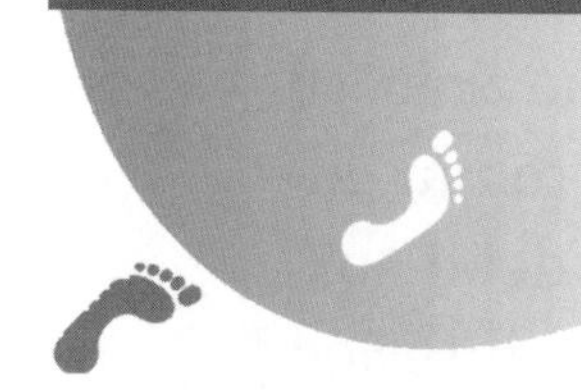

# 4

# LA CIENCIA DEL ÉXITO



## SÍ, EXISTE

Según los científicos, no llegamos a utilizar ni el 5% de la capacidad de nuestro cerebro. Incluso el cerebro de Einstein, estudiado con fines científicos después de su muerte, no era muy distinto de la materia gris de un idiota.

Al igual que Einstein (quien, según su maestra, era incapaz de aprender matemáticas), Thomas Edison también era considerado por sus maestros un estúpido. Sólo estudió tres meses, y luego tuvo que dejarlo. Imagina la cara que se les debió de poner a sus «maestros»

# VISUALIZACIÓN Y EXPERIENCIA

## *Las dos caras de una misma moneda*

Todo lo que creemos permanece para siempre en nuestra cabeza. Por otra parte, una información nueva siempre sustituye la información antigua que teníamos sobre el mismo tema. Así pues, para nosotros lo que cuenta siempre es la última experiencia.

Si te caes de la bicicleta y te da miedo volver a subirte a ella, lo que permanecerá en tu mente será el miedo a montar en bicicleta. Pero si te caes e inmediatamente te levantas y sigues pedaleando con ganas, lo que permanecerá en tu cabeza será tu valentía al continuar yendo en bicicleta.

Visualizar las cosas es muy importante para que crees experiencias en tu cerebro. Y no cuenta para nada que lo que hayas imaginado sea verdad o mentira. Sea como sea, una visualización bien hecha quedará implantada en tu cerebro y se hará realidad para ti.

III

cuando, años más tarde, Edison inventó la lámpara incandescente y revolucionó el mundo.

Por lo tanto, las diferencias entre una mente y otra no vienen dadas por la anatomía ni por los estudios que se tengan, sino por la programación. Si hiciéramos la clásica comparación entre un cerebro y un ordenador, diríamos que el cerebro es el *hardware* (el equipo) y los pensamientos y las ideas son el *software* (el programa que utiliza el equipo).

Nadie nace siendo un genio. Es cierto que algunas personas vienen al mundo con un potencial mayor (como también lo es que cada uno de nosotros tiene más facilidad para unas cosas que para otras), pero de no existir un desarrollo intelectual —a través de la fuerza de voluntad, de la técnica y de un aprendizaje competente—, puede incluso que esa ventaja quede anulada.

Algunas personas nacen con un potencial superior al de otras, pero muchas de esas personas aprovechan peor su capacidad mental y acaban volviéndose menos inteligentes que una persona normal que aproveche mejor sus capacidades intelectuales.

Tú puedes hacer que esa diferencia se convierta en tu ventaja personal.

Las instituciones de enseñanza participan en ese proceso. Si no te gusta determinada asignatura, estudias, memorizas y luego lo olvidas todo.

Lo importante es aprender a pensar de forma directa. Esto es algo perfectamente posible. Los cursos que he realizado por todo Brasil y otros países —que me sirven de inspiración para mis libros— se basan precisamente en enseñar a pensar de forma directa.

¿Cómo se hace? Con las nuevas técnicas de la Programación Neurolingüística, que es el estudio de las relaciones entre el proceso del lenguaje y su representación en el cerebro humano.

A través de la Programación Neurolingüística, cualquiera de nosotros puede obtener unos resultados óptimos en poco tiempo. Se enseña el proceso, no el contenido. Está comprobado que:

**Cualquier persona puede aumentar su capacidad intelectual.**

Basta con tener acceso a las técnicas adecuadas. La Programación Neurolingüística es una disciplina cuyas técnicas vas a utilizar. Aprende cosas sobre tu tipo de pensamiento en el capítulo 30 de este libro.

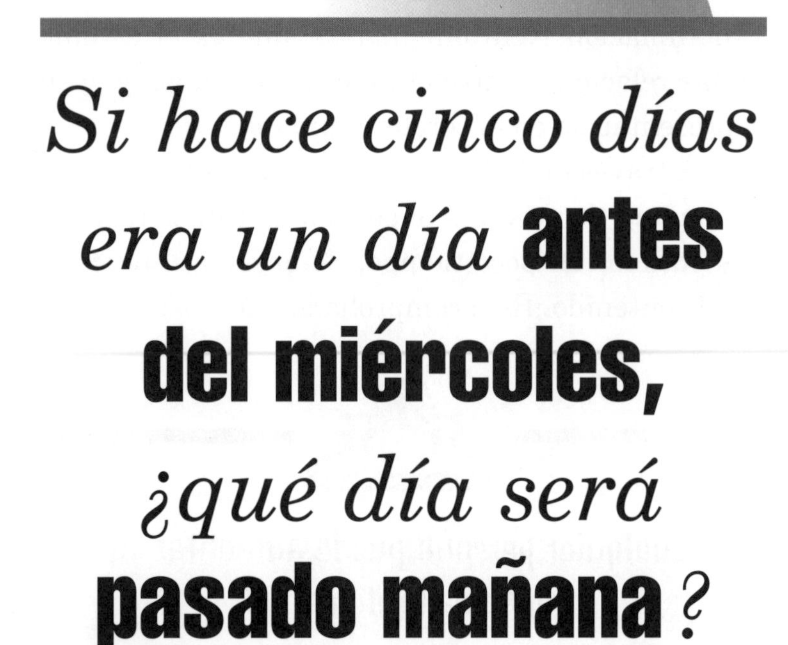

*Si hace cinco días era un día* **antes del miércoles,** *¿qué día será* **pasado mañana***?*

5

# QUIEN CREE, GANA



## CRÉELO SI QUIERES

En la época de la gran depresión de 1929 —el famoso *crack* de la Bolsa de Nueva York—, el dinero desapareció del mercado. Lo interesante del caso es que el gobierno no dejó de emitir moneda, sino que siguió imprimiendo la misma cantidad de billetes de siempre. ¿A dónde fue a parar, entonces, todo ese dinero?

A manos de unos pocos que creyeron que ganarían dinero incluso en esas condiciones y no se dejaron llevar por la tendencia recesiva del mercado.

## DISONANCIA COGNITIVA
### *Fuerzas antagónicas que generan conflicto*

La confusión en la mente se produce cuando dos ideas opuestas conviven en un mismo cerebro, o cuando se actúa de forma incoherente con las propias creencias.

Imaginemos que piensas dos cosas opuestas al mismo tiempo. Por ejemplo:

Pensamiento 1: Necesito estudiar porque mañana tengo un examen.

Pensamiento 2: Me da pereza estudiar y me voy a dormir.

Cuando te ocurre esto, creas un conflicto interior y tu cerebro pierde energía.

¿Qué sueles hacer entonces? Reduces la distancia entre estas dos ideas, procurando que se parezcan más, para evitar de este modo sentirte culpable. Y así piensas: «Como me han dicho que el examen será fácil, no tendré que estudiar demasiado», o: «Voy bien en esta asignatura, de manera que sólo repasaré un poco y luego me iré a descansar».

Al pensar así estás racionalizando, es decir, elaboras una explicación racional para justificar un impulso que procede de tu inconsciente. Y cuando algo parecido ocurre en distintas áreas de tu vida, vives constantemente en un proceso de autoilusión, engañándote a ti mismo.

IV

## Creer en ti mismo da resultado.

Creer en tus conocimientos, tu capacidad y tu trabajo, da resultado. No son palabras fáciles ni «píldoras de optimismo». Es la pura verdad. Veamos el ejemplo de un país como el Brasil actual, con una inflación crónica, desempleo y recesión económica: pues está lleno de gente que gana mucho dinero. ¿Que hay menos oportunidades? Cierto. Pero existe la posibilidad de alcanzar el éxito, claro que sí.

Sin embargo, no todo el mundo aprovecha sus oportunidades en el momento adecuado. ¿Recuerdas la historia del huevo de Colón? Nadie conseguía dejar un huevo en pie hasta que llegó Colón, golpeó suavemente la cáscara y lo colocó erguido. Entonces a todos les pareció fácil, casi obvio. Así son las oportunidades. Están en la vida para que las veamos, y muchas veces pasan justo frente a nosotros... y no nos enteramos.

Para ver las oportunidades que el mundo te ofrece, tienes que cambiar tu forma de ver el mundo. Debes prestar más atención para que no te pasen desapercibidos los detalles. Lo obvio sólo lo es para el ojo preparado. Todo depende del entrenamiento. ¿Vamos a entrenarnos?

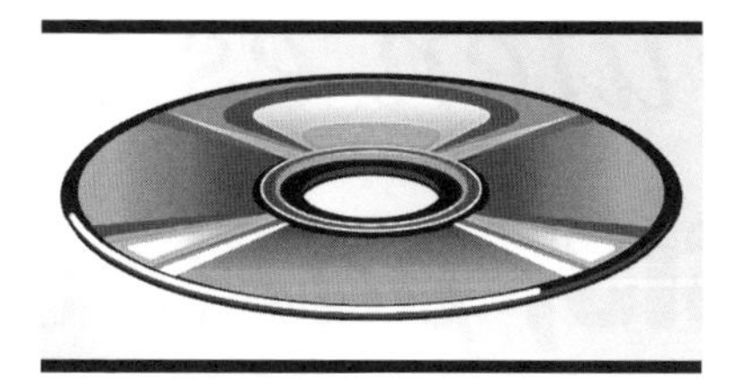

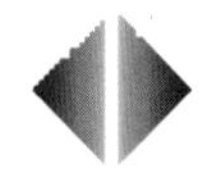

*Lo que para alguien es una* **crisis,** *para otro puede ser una* **oportunidad**

6

# PERCIBE LO REAL

## PERO ANTES ESCOGE TU REALIDAD



Vivimos en un mundo con diversas realidades. Cada persona tiene la suya. Lo que para ti es real, tal vez no lo sea para otra gente.

La ciencia ha demostrado que la sensación de realidad es algo subjetivo. Depende mucho del punto de vista. Después de leer este libro, unos dirán que fue una experiencia reveladora, mientras que otros se quejarán de que ha sido una pérdida de tiempo. La realidad de cada cual consiste en aquello que asimila y procesa su cerebro.

## VERSE IMPLICADO Y COMPROMETERSE

### *La diferencia que marca la diferencia*

Existe una gran diferencia entre verse implicado y comprometerse. En el primer caso, participas en algo o colaboras con alguien mientras la situación sea buena. Cuando surge el primer problema, lo abandonas todo y te vas.

Pero cuando te comprometes, realmente estás preparado para lo bueno y para lo malo. Eres capaz de enfrentarte a cualquier situación y siempre estás dispuesto a resolver los problemas que se te presenten. De este modo, el Universo se une a tu equipo, y te echará una mano cuando necesites ayuda para alcanzar los objetivos con los que te has comprometido.

Las mentes preparadas y sin prejuicios asimilan con facilidad los nuevos conceptos de la realidad. A las otras, les cuesta más. Y tanto es así que aún hay gente que cree que no es indispensable utilizar un preservativo para combatir el sida. Y también hay personas que todavía no se creen que el hombre haya pisado la Luna.

¿Cómo «siente» el mundo nuestra mente?

A través de los cinco sentidos: la vista, el oído, el olfato, el gusto y el tacto. Pero incluso los sentidos nos engañan. A pesar de que sabemos que la Tierra gira a una velocidad increíble, tenemos la impresión de que está parada y es el Sol el que da vueltas alrededor de ella.

Entonces, dado que nuestros sentidos crean ciertas ilusiones, no podemos pensar en términos de «la» realidad. Hay animales que ven en blanco y negro, y sabemos que los perros oyen sonidos imperceptibles para nosotros.

Las diferencias en los modos de ver la realidad entre los seres humanos son más sutiles. Pero ahí están. Para no caer en la trampa de las «ilusiones», tenemos que librarnos de los prejuicios.

Para quien quiere conseguir el éxito, la ilusión más perjudicial es la de que «las cosas no cambian». Grábatelo en la cabeza:

**Todo cambia, y eso te incluye a ti.**

Ten cuidado con las «seguridades». El cambio forma parte de tu vida. En este mundo nada es para siempre.

Nuestra mente cambia de realidad a cada instante. Creamos nuevas verdades cada día. Un simple resfriado altera nuestra percepción de la realidad. Cualquier acontecimiento nuevo cambia los parámetros, las expectativas.

Y así funciona el éxito. Podemos transformar nuestra vida para tener éxito, del mismo modo en que cambiamos centenares de cosas al cabo de un único día.

El éxito depende de la manera en que construimos nuestros pensamientos y nuestras estrategias de acción. Pero nuestros pensamientos y estrategias están muy influidos por el modo en que nos han educado y por lo que se nos ha enseñado en nuestra juventud.

Muchas veces es precisamente nuestra educación lo que entorpece nuestro desarrollo. ¿Cómo liberarnos de esas influencias tan fuertes?

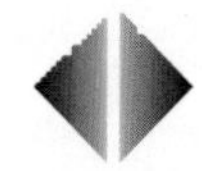

# 7

# EL PODER DEL CAMBIO



## SI EL MUNDO NO CAMBIA, CAMBIA TÚ

Si te han educado en la creencia de que el dinero es algo sucio, no sirve de nada que trabajes 24 horas al día. No te harás rico de ninguna manera. Antes debes liberarte de las cadenas y los traumas.

El trabajo y el dinero pueden presentarse en una proporción injusta si no estás preparado para tener éxito. El obrero es quien más trabaja y quien menos gana: se levanta muy temprano, coge dos autobuses, trabaja mucho y lo que le pagan apenas le da para sobrevivir. Lle-

## UNA, DOS Y TRES

### *Cuando el hecho establece una tendencia*

Todo puede ocurrir una vez en la vida, pero eso no significa que vaya a repetirse. Un único hecho no establece una tendencia. Por ejemplo: tu mejor amigo te mintió en una ocasión. Este es el hecho. Pero si te vuelve a mentir en una segunda ocasión, eso ya es una tendencia, y la probabilidad de que vuelva a ocurrir es mucho mayor.

Sabiéndolo, será mejor que empieces a actuar con más cuidado para no tener que arrepentirte más tarde.

ga a casa muerto de cansancio, duerme poco y se retira al cabo de 35 años con una pequeña jubilación.

Existen mil causas que explican esta situación del obrero. Pero sé sincero contigo mismo: ¿eres capaz de cambiarlas?

Para empezar, puedes mirar mejor a quién votas. También puedes apuntarte a un sindicato, un partido o una organización no gubernamental (ONG). Puedes darlo todo de ti para ayudar a mejorar el mundo. Pero recuerda siempre una cosa:

**El mundo no cambiará mañana, y tienes que vivir en el mundo de hoy.**

Cuando tengas la esperanza de cambiar algo, llega hasta el final. Pero, durante el proceso, adquiere experiencia. Y si en un momento

determinado no es posible cambiar una cosa, no pierdas el tiempo refunfuñando y lamentándote. Lo único que conseguirás así es tardar más en asimilar la realidad de que el cambio no llegará tan pronto como esperabas (o en algunos casos, tal vez no llegue nunca).

No pierdas las oportunidades que se te presenten, o alguien que sepa reaccionar antes que tú te quitará el espacio. Y entonces no podrás cambiar tu vida.

¿Crees que es difícil cambiar de forma de ser? Bien, nadie dijo que fuera fácil. Tendrás que esforzarte. Pero es más simple de lo que te imaginas.

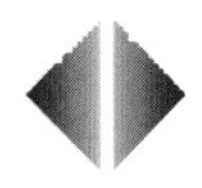

# **Hoy** *es*
# *el mañana*
# *de* **ayer**

# 8

# NADIE ES PERFECTO



## PERO SIEMPRE SE PUEDE MEJORAR

Primer paso para empezar a cambiar: haz lo mismo que hizo Napoleon Hill en su investigación. Observa a las personas que tienen éxito. Analiza sus puntos fuertes. Si quieres, anota en un papel los aspectos más positivos de cada una de esas personas. A continuación, empieza a actuar de manera semejante. Es el primer paso para invertir una situación desfavorable.

Vuelve al inicio del párrafo anterior. Lo has leído, pero, ¿realmente estás

## ESCASEZ Y ABUNDANCIA
### *La elección depende de la percepción*

El Universo es por naturaleza abundante, se creó para que todos nos beneficiáramos. Para que a mí me vayan bien las cosas, no es necesario que a ti te vayan mal, a no ser que tú insistas en que así sea, y ese sería tu problema. Aquello en lo que crees (tus convicciones) influye en tu percepción, es decir, define la manera en que ves las cosas. Y tu percepción también depende de tus intenciones, de aquello que realmente quieres conseguir.

Por ejemplo: pretendes conquistar a la muchacha más bonita del instituto (esa es tu intención). Entonces empiezas a convencerte de que eres capaz de conseguirlo (esa es tu convicción). El resultado es que serás capaz de verte junto a esa chica, y a partir de ahí, todo te resultará más fácil (esa es tu percepción).

La abundancia es un derecho universal. El hambre y la miseria no combinan bien con la naturaleza. El sufrimiento es la manifestación de la falta de armonía con uno mismo y con las leyes del Universo. Hambre o abundancia, sufrimiento o felicidad, todo depende de la elección y la percepción de cada cual.

AMBICIÓN

TRABAJO AUTOESTIMA

**ÉXITO**

ACTITUD COMUNICACIÓN

METAS

decidido a hacer lo que te recomiendo? ¿Eres consciente de que ese primer paso es fundamental? Repito: observa a las personas que tienen éxito y analiza sus puntos fuertes. A continuación, empieza a actuar de manera semejante. Comienza a hacerlo ya, con una única persona. Si lo dejas para más adelante, no lo harás nunca.

¿Lo has hecho ya?

¿Todavía no?

¿A qué estás esperando?

De acuerdo. Sigues sin ser perfecto, pero ya estás mejorando. Si te has obligado a levantarte, coger un papel, usar la cabeza y escribir, ya estás aumentando tu disciplina. Has empezado a grabar en tu mente las características que han llevado al éxito a las personas quc admiras.

Ahora estudia el dibujo que hay en la página anterior. Se trata de la Estrella del Éxito. En toda situación de éxito se encuentra una combinación de estos seis factores.

Analiza en cuáles de esos factores eres bueno y en cuáles no lo eres tanto.

Digamos que eres bueno en cuatro de ellos y malo en dos. En ese caso, debes concentrarte en esos dos puntos débiles y esforzarte en mejorarlos.

Esta Estrella del Éxito está siempre en movimiento, en el mundo y en tu vida. A medida que vayas entrando en su movimiento, que comiences a trabajar en sus seis factores, sentirás que tu mente se expande.

Este trabajo desarrollará tu coeficiente intelectual, y sobre todo, tu capacidad de reacción ante lo inesperado. Cuanto más preparado estés para enfrentarte a lo inesperado, más oportunidades tendrás de alcanzar el éxito. En este mundo en el que vivimos, siempre nos espera lo inesperado.

El movimiento de la Estrella del Éxito nunca se interrumpe porque:

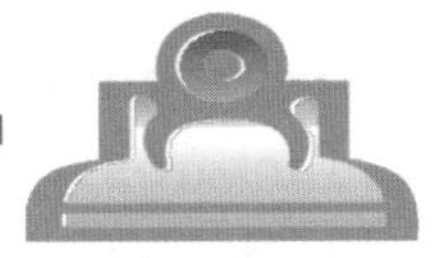

**Tener éxito consiste en no detenerse nunca, en desear siempre más de la vida.**

# *La* **vida** *siempre tiene derecho a* **sorprendernos**

**Para: Ti**
**De: Lair Ribeiro**

Hola, ¿cómo estás?
¿Te está gustando este libro? Te recomiendo que reflexiones sobre las enseñanzas que contiene y que decidas cómo aplicarlas a tu vida. El conocimiento sólo es poder cuando lo ponemos en práctica.
Además recuerda que la repetición es la madre del aprendizaje. Debes leer este material más de una vez.

Un abrazo

P.D. ¿Eres consciente del importante papel que desempeñan los profesores en nuestra vida?
¿Qué seríamos sin los conocimientos?
Pobres ignorantes destinados al fracaso.

# 9

# FUERA LOS CONDICIONAMIENTOS



## ANTE TODO, LIMPIA TU MENTE

Cuando nacemos, nuestra mente está limpia de información. El cerebro está vacío, como una cinta virgen. A medida que crecemos, nuestros padres nos educan, condicionando nuestra mente para las dificultades y los desafíos de la vida.

El problema es que, en su afán por enseñarlo todo, los padres muchas veces exageran la nota, dejando traumas y lagunas en el comportamiento del niño. ¿Quieres comprobarlo?

## AMOR INCONDICIONAL

### *La emoción sobrepasa la razón*

Aceptar a los demás, sin juzgarlos y sin expectativas, es algo fácil de decir, pero difícil de conseguir. El miedo es siempre el problema, el amor es siempre la solución. Amar incondicionalmente significa superar todos los miedos, acercando lo que piensas a lo que sientes.

Este equilibrio equivale a vivir el presente, sin ninguno de los traumas del pasado ni las expectativas del futuro.

Al amar de manera incondicional, aprendes a ver el futuro sólo como una posibilidad y no como una expectativa. Por ejemplo: lo que más deseas es que te consideren el mejor jugador del equipo en el próximo partido de fútbol. Si encaras este pensamiento como si fuera una posibilidad, no quedarás decepcionado aunque no se cumpla, porque tal vez se haga realidad en la próxima ocasión. Pero si te lo tomas como una expectativa y no se cumple, seguramente quedarás contrariado y sufrirás con la situación.

Cuando una expectativa no se cumple, genera frustración. Una posibilidad, aunque no se materialice, sigue siendo una posibilidad.

Vive el momento actual y planea el futuro.

VIII

Científicos estadounidenses llevaron a cabo un estudio con una serie de niños para saber qué oían exactamente al cabo de un día.

> Colocaron micrófonos detrás de las orejas de los niños y lo grabaron todo durante 24 horas. Con los datos que obtuvieron, descubrieron que un niño —desde que nace hasta que cumple los ocho años de edad— oye unas cien mil veces la palabra «no». Es mucho, ¿verdad? «¡No hagas eso!», «¡No pongas el dedo ahí!», «¡No toques el frigorífico!», «¡Hoy no saldrás a jugar!», «¡No pongas los pies sobre la silla!». Y otro dato chocante es que por cada elogio, el niño recibe nueve reprimendas.

¿Cómo queda la mente del niño después de tantas negativas? Se crea un montón de limitaciones y condiciona su inteligencia y su creatividad para ser «aceptado» por sus propios padres. El talento del niño desaparece poco a poco, y queda, en su lugar, una montaña de reglas y normas de conducta. Y eso, querido lector, sigue así de generación en generación. Te pondré dos ejemplos. ¿Sabes cómo se domestica una pulga? Coloca una dentro de un frasco y tápalo. Como antes era libre, empezará a saltar y se golpeará el cuerpo contra la tapa, pero después de varios intentos descubrirá que no sirve de nada resistirse y se pondrá a saltar a una altura inferior, la suficiente para evitar el golpe. Entonces puedes sacar la tapa, porque la pulga ya no saltará fuera del frasco. Su pequeño cerebro ha quedado condicionado y será incapaz de llegar a la conclusión de que si salta un poco más, podrá escapar.

Con los elefantes ocurre lo mismo. El entrenador ata a un árbol un pequeño elefante recién destetado. Al principio, el elefantito intenta soltarse, pero el árbol es fuerte y no lo consigue. Después de varios intentos, desiste.

Más tarde, en el circo, el payaso puede atar el animal a la pata de un taburete o a cualquier otra cosa, y no se escapará. Sigue pensando que lo han atado a un árbol y ni siquiera intentará liberarse.

Muchas veces nos parecemos al elefante y a la pulga. ¿Cuántas limitaciones habrá en nuestra mente, como la del frasco de cristal de la pulga, sin que nos demos cuenta?

Y de los cien mil «nos» que oímos en la infancia, ¿cuáles tienen efecto todavía en nuestra vida?

¿No habrá llegado el momento de replantearnos nuestras actitudes?

La cuestión es que podemos dar la vuelta a la situación. Con la estimulación adecuada, es posible invertir la tendencia y comprender que muchas de las limitaciones que nos impiden alcanzar el éxito sólo existen en nuestra mente. Por eso:

**Conoce y comprende tus limitaciones. Es el primer paso para superarlas y alcanzar tus sueños.**

*Quien está acostumbrado a coger el* **león por la cola,** *no tiene miedo de la cabeza del* **ratón**

*Una vez establecida, la función única y exclusiva de toda creencia es perpetuarse.*

# 10

# APRENDE A PENSAR DE FORMA DIRECTA



## ¡ESTO PUEDE SALVARTE LA VIDA!

Imagina que hay un tablón en el suelo. Digamos que tiene unos diez metros de longitud y unos 30 centímetros de ancho.

Si te pidiera que andaras por ese tablón, no tendrías ningún inconveniente en hacerlo, ¿verdad? ¿Y si estuviera colocado entre dos edificios, a cien metros de altura? ¿Lo harías? ¿Y si fuera la única vía para escapar de un incendio?

En ese momento el cerebro te manda un mensaje: «¡Cuidado! Puedes morir en cualquier momento». Si empiezas a sentir miedo, seguro que te caes. Pero si imaginas

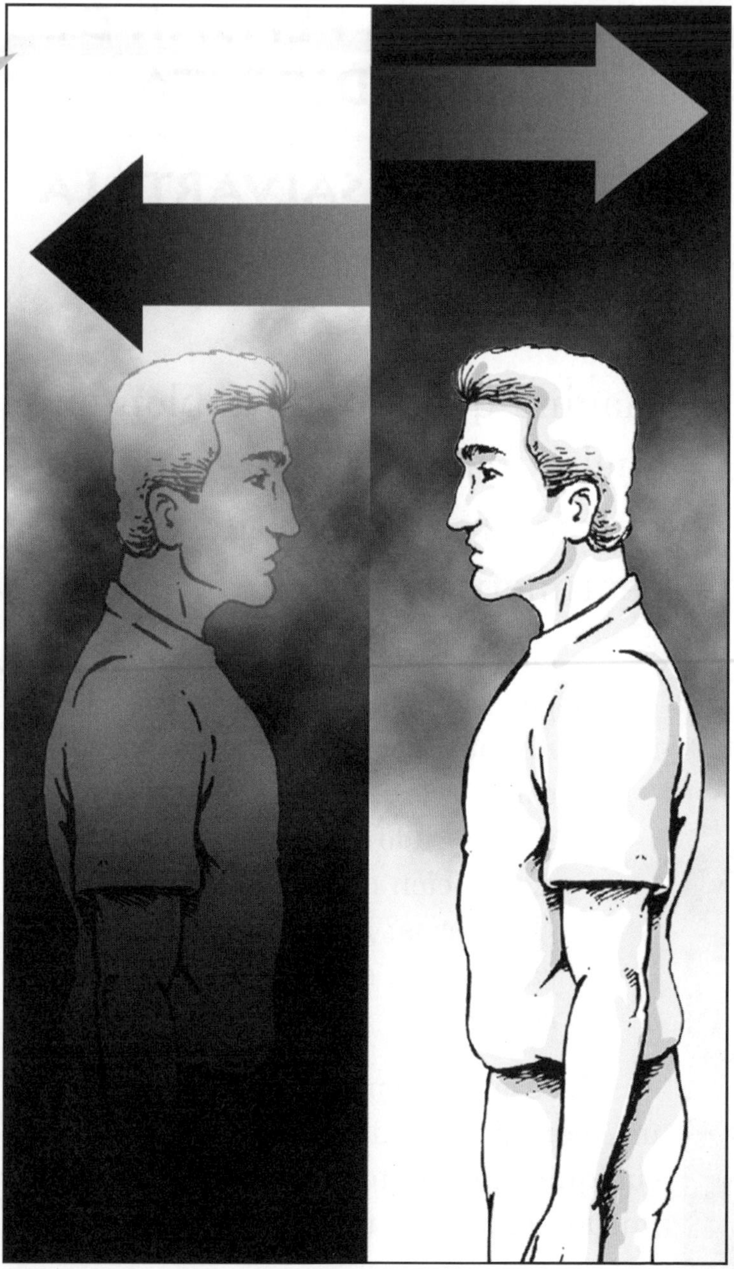

## ATRACCIÓN EN ACCIÓN
### *Confirmar la semejanza*

Tu energía se dirigirá hacia donde dirijas tu atención. Solamente conseguirás atraer aquello que ya posees. Si sólo atraes a gente insulsa, probablemente será porque tú también lo eres. Las cosas semejantes se atraen. La vida es como el eco: si no te gusta lo que estás recibiendo, presta atención a lo que emites. Todo lo que sucede en tu vida cotidiana tiene que ver con lo que estás mandando al Universo.

que el tablón reposa tranquilamente en el suelo, conseguirás pasarlo. Es la diferencia entre la vida y la muerte.

Esta limitación —el miedo a caer— procede de la manera en que tu mente analiza el peligro. Tienes que entender ese mensaje negativo de tu cerebro y superarlo, para así controlar tus actos —andar por el tablón— y salvar la vida.

¿Sabes qué es un termostato? Es un aparato que regula la temperatura de un lugar, con independencia de la temperatura exterior. Si deseas que la habitación esté a 22 °C, el termostato del aparato de aire acondicionado mantendrá esa temperatura aunque en el exterior haga un calor que achicharre los sesos.

Con el cerebro ocurre algo parecido. Tenemos una especie de termostato en la cabeza que es capaz de mantener un cierto nivel de exigencia.

Por ejemplo: si estás convencido de que vales, por decir algo, 500.000 dólares, esa es la cantidad que el mundo tenderá a proporcionarte. Créelo: es una cuestión de ajustar el «termostato» mental a ese nivel, y las oportunidades de conseguir ese dinero aumentarán de forma considerable.

No importa que haya crisis económica, ni cuál sea la situación del país o la coyuntura mundial. Lo importante es la estructura interior, lo que tienes dentro de ti.

El mundo es el reflejo de tu interior.

Todo lo que tiene importancia en la vida es simple. Cuando existen cinco teorías para explicar un mismo hecho, puedes tener la certeza de que nadie sabe realmente cómo explicarlo. Confía en ti: analiza la situación y decide por ti mismo cuál es la teoría más correcta.

Siempre suceden cosas, independientemente de que nos enteremos o no. Los que no conocen la ley de la gravedad sufren sus efectos al igual que los que sí la conocen. La gravedad está ahí, su existencia no depende de que la conozcamos o no. Si alguien cae

por un abismo, tanto si es un físico como si es un ignorante, el efecto será el mismo: pastel de carne.

Lo importante es aprender haciendo. Si tuviéramos que comprender todos los pormenores y disponer de toda la información detallada de cada cosa que vamos a hacer, acabaríamos por no hacer nada, o haríamos mucho menos de lo que nuestro potencial nos permite.

**Aprende haciendo. No pierdas el tiempo intentando aprenderlo todo antes de hacerlo.**

Los conocimientos de la humanidad se duplican cada cuatro años. A partir del año 2000, se duplicarán cada 20 meses. ¿Puedes imaginar las consecuencias? La información crece a un ritmo tan intenso que es imposible saberlo todo; no podemos abarcarlo. Debes confiar en tu intuición y en los conocimientos que ya tienes para abrirte camino hacia el éxito. No pierdas el tiempo esperando. ¡Actúa!

*El verbo* **hacer** *siempre puede más que el verbo* **querer**

*La valentía es hacer lo que se tiene que hacer, aunque se haga con miedo.*

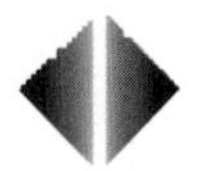

# 11

# HAY QUE CREERLO PARA VERLO



## ERES TÚ QUIEN CREA TU MUNDO

Seguramente habrás escuchado muchas veces la frase: «Hay que verlo para creerlo».

En realidad, hay que creerlo para verlo. Si para creer en algo esperas a verlo, acabarás cediendo tu lugar a quien sí lo cree antes de verlo. Llegarás tarde.

Si para creer que obtendrás un puesto de trabajo en una empresa tienes que verte ya en él, perderás ese puesto en favor de quien sí cree que lo conseguirá antes de obtenerlo.

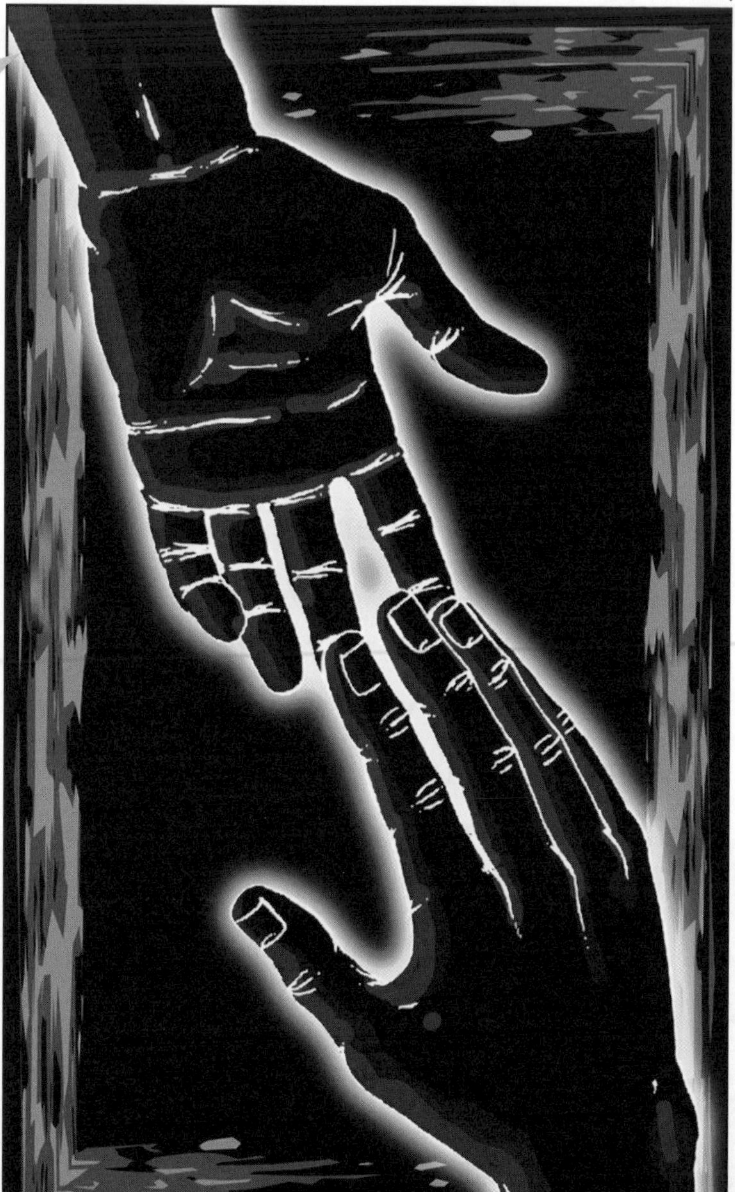

## LA PARADOJA UNIVERSAL
### *Aceptar lo inaceptable*

Aceptarnos a nosotros mismos es un concepto que nos enseñan todos los filósofos y religiosos. En la vida, tú eres aquello que te niegas a ser. Si piensas: «No quiero ser como mi hermano», acabarás pareciéndote cada vez más a él, y todo el mundo será consciente de ello menos tú.

Y esto es así porque te pasas todo el día pensando en tu hermano, en su manera desacertada de actuar o en el modo desagradable con que trata a los demás. De este modo, al pensar tanto en ello, sus defectos empiezan a formar parte de ti.

Pero las cosas que piensas puede que se hagan realidad y puede que no. Depende de tu voluntad.

El verdadero cambio en tu interior sólo se realizará cuando seas capaz de aceptar a la gente tal como es y te aceptes a ti mismo tal como eres.

Para ganar esta carrera, empieza por aflojar la marcha, respira, y mira alrededor de ti y en tu interior.

X

Que consigas lo que quieres depende exclusivamente de ti. Eres un reflejo de tu interior. Si tienes amor, recibirás amor. Si tienes odio, recibirás odio.

Cambia tus creencias y obtendrás lo que corresponde a tus nuevas ideas.

## Sé capaz de cambiarte a ti mismo, y el mundo cambiará contigo.

William James fue un gran filósofo y psicólogo estadounidense. Profesor de la Universidad de Harvard, era toda una eminencia. En cierta ocasión le preguntaron cuál había sido el mayor descubrimiento en el campo del desarrollo humano en los últimos tiempos. ¿Sabes qué respondió? «Siempre se había pensado que para actuar era preciso sentir. La verdad es que si comienzas a actuar, el sentimiento aparecerá. Es como lo que ocurre con el pajarillo: no canta porque sea feliz, sino que es feliz porque canta.»

El comportamiento cambia el sentimiento.
Y el sentimiento cambia el pensamiento.

PENSAMIENTO

SENTIMIENTO

COMPORTAMIENTO

Si estás deprimido, empieza a comportarte como si estuvieras contento. Pronto te sentirás feliz, y entonces estarás a un paso de serlo. No esperes a sentirte bien para hacer algo. Comienza a hacerlo y acabarás por sentirte bien. Recuerda: la intención sin acción es una mera ilusión.

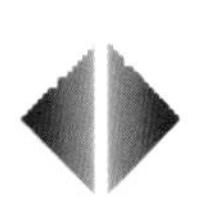

# ¡**No hagas caso** *de lo que te digo!* *(A ver* **cómo sales de ésta)**

# 12

# DOS CEREBROS EN UNO



## APRENDE A POTENCIAR TU MENTE

Un ser humano necesita dos piernas en perfectas condiciones para andar y correr. Si una de esas piernas está atrofiada, sin duda irá cojo. Con el cerebro ocurre algo parecido.

Nuestro cerebro está compuesto de dos hemisferios: el izquierdo y el derecho. Por regla general, la educación que nos dan en la escuela privilegia el desarrollo del hemisferio izquierdo, que es la parte lógica y analítica del cerebro. El hemisferio derecho, donde residen la intui-

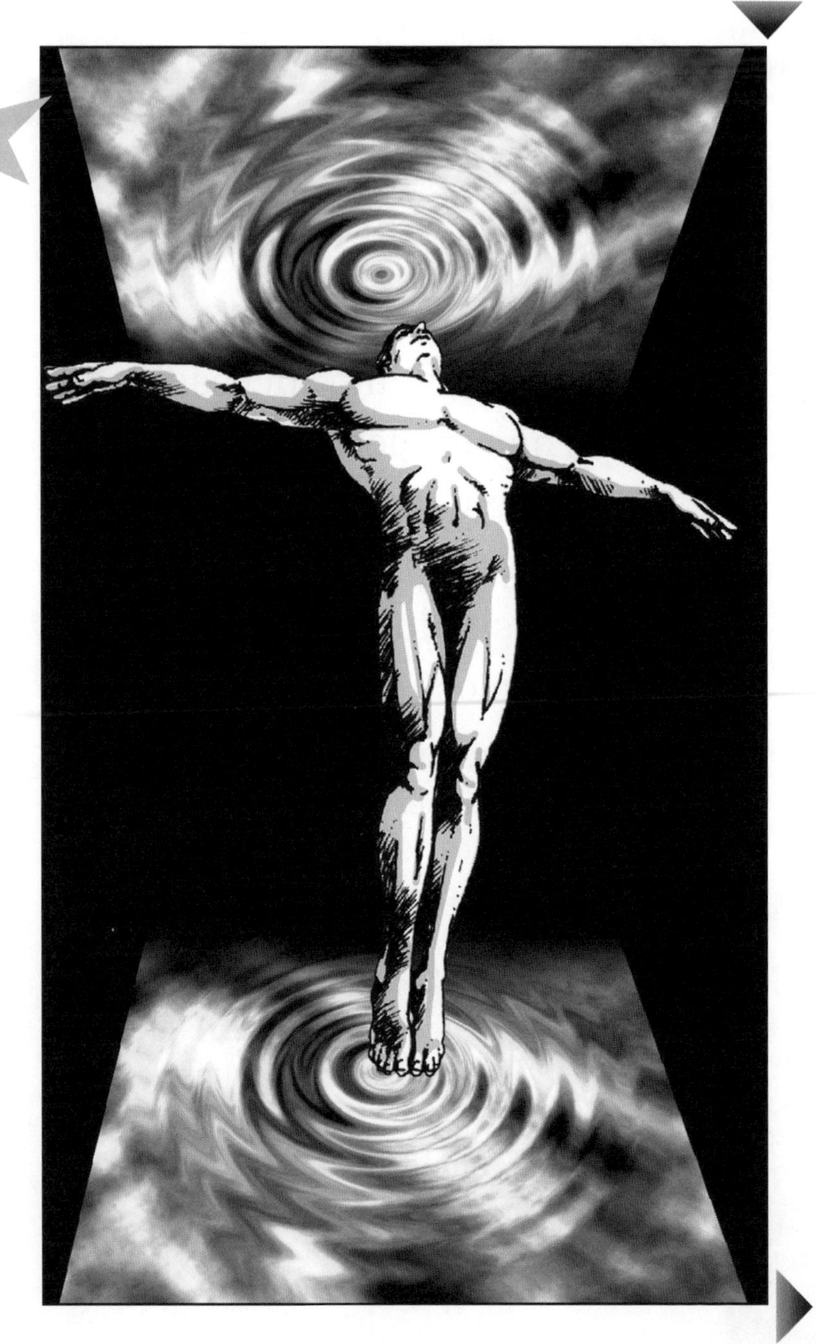

# TRASCENDENCIA Y LIBRE ALBEDRÍO

## *La elección de ser libre*

Utilizando la mente, el ser humano puede superar los acontecimientos a los que está destinado en la vida. Es decir, disponemos de la capacidad de trascender, de ir más allá. Así, siempre tienes la posibilidad de escoger cómo actuar ante cualquier acontecimiento.

Imagina que tu vecino se ha cortado un dedo y está desesperado viendo la cantidad de sangre que pierde por la herida. En esta situación, tienes la posibilidad de actuar de diferentes maneras: puedes desesperarte tú también y no acertar a hacer nada para ayudarlo, o puedes mantener la calma y socorrerlo, o puedes llamar a alguien más preparado para cuidar del herido, o puedes ponerte histérico y gritar como si tu vecino hubiera perdido el brazo entero, etc.

Quien se deja llevar por la situación pasa a convertirse en parte del problema. Pero si empiezas a observar mejor y eres capaz de actuar con inteligencia, conseguirás ver siempre una solución justo en el momento en que está sucediendo algo, aunque sea desagradable.

Trascender una situación significa superarla y empezar de nuevo. Y el ser humano, por ser un animal que utiliza el lenguaje para comunicarse, tiene la capacidad de hacerlo en cualquier momento.

XI

ción y la creatividad, queda en segundo plano en el desarrollo intelectual del alumno.

¿Resultado? Aprendemos a pensar sólo con un lado del cerebro, y no aprovechamos plenamente la capacidad del ordenador más potente del mundo: nuestro cerebro. Presta atención a las diferencias entre los dos hemisferios:

| HEMISFERIO IZQUIERDO | HEMISFERIO DERECHO |
|---|---|
| DETALLISTA | AMPLIO |
| MECÁNICO | CREATIVO |
| SUSTANCIA | ESENCIA |
| BLANCO Y NEGRO | COLORES |
| ESCÉPTICO | RECEPTIVO |
| LENGUAJE | MEDITACIÓN |
| LÓGICO | ARTÍSTICO |
| CERRADO | ABIERTO |
| CAUTELOSO | AVENTURERO |
| REPETITIVO | INNOVADOR |
| VERBAL | INTUITIVO |
| ANALÍTICO | SINTÉTICO |
| MEMORIA | ESPACIAL |

El hemisferio izquierdo y el derecho tienen funciones totalmente distintas, procesan la información de forma diferente, pero son complementarios. Tener éxito depende de que los dos hemisferios cerebrales trabajen a toda máquina en equilibrio y armonía.

El éxito depende del trabajo conjunto y equilibrado de los dos hemisferios cerebrales.

Veamos el ejemplo de un empleado administrativo. Digamos que es un hombre lógico, detallista y meticuloso, que tiene mucha facilidad para las matemáticas y hace complicadas operaciones aritméticas de memoria. Todo el mundo está impresionado por su capacidad, incluido su jefe. Pero ahí acaba todo. Trabaja en el mismo cargo desde hace años, y probablemente, allí se quedará, aunque gane una miseria al mes. Este es el caso típico de una persona con un hemisferio izquierdo activo y un hemisferio derecho inactivo.

En el otro extremo, encontramos el caso del pintor impresionista Vincent van Gogh. Fue un auténtico genio de la pintura. Sus cuadros son hoy los más caros del mundo; en las subastas alcanzan precios de millones de dólares. Pintó 1.600 cuadros durante su vida. Vendió sólo uno. Murió en la miseria, loco.

Puesto que en la civilización occidental, la educación refuerza el hemisferio izquierdo, el objetivo de la Programación Neurolingüística se centra en la expansión del hemisferio derecho, que es la vía de entrada al inconsciente. El secreto consiste en equilibrar e integrar los dos hemisferios.

La gente pocas veces es consciente de sus limitaciones. Cuando ayudo a alguien a desarrollar su coeficiente intelectual por medio de mis libros y cursos, oigo cosas de este tipo: «Yo me creía inteligente, pero ahora veo cuánto podría mejorar». Lo que realmente has de cambiar son tus referencias.

Para conseguirlo, el primer paso es descubrir qué clase de persona imaginas que eres: si te inclinas hacia el empleado administrativo o hacia Van Gogh.

**No importa lo bueno que seas en algo. Siempre podrás mejorar.**

A partir de ahí, te pondrás a trabajar para desarrollar la parte más atrofiada de tu cerebro. ¿Cómo se hace? Irrigando ese hemisferio desaprovechado con información y estímulos. Ahí está tu ventaja personal. Recuerda que la mayoría de la gente no sabe nada de esto que estás leyendo. Cuando sepas cuáles son tus defectos y te plantees superarlos, dispondrás de una ventaja. Esa pequeña diferencia tal vez sea muy importante cuando tengas que competir para entrar en la universidad o conseguir un empleo.

**Cuanto más te conozcas, mayor será tu ventaja con respecto a los demás.**

Nadie nos ha enseñado nunca cómo sacar el mayor provecho de nuestra energía personal. Cuando estamos cansados, pensamos que necesitamos dormir, pero eso es una tontería, aunque tengamos la impresión de que durmiendo recuperamos energía.

¿Sabes que cuantos más problemas tenemos más nos deprimimos? ¿Y que cuanto mayor es la depresión, mayor es la necesidad de dormir?

Quien consigue integrar en su vida cotidiana los dos hemisferios cerebrales aumenta su coeficiente intelectual, consigue que disminuya la depresión y percibe mejor las oportunidades que el mundo le ofrece. Esa es la diferencia.

# 13

# GÚSTATE MÁS A TI MISMO



## Y APROVECHA BIEN TU ESTRÉS

Antes de seguir, es preciso que aprendas a relajarte. Cuando estamos relajados, nos apreciamos más a nosotros mismos, es decir que aumenta nuestra autoestima.

Al relajarnos, la mente entra en el ritmo alfa (que son las ondas que predominan en el cerebro cuando estamos relajados). Existen distintas técnicas de relajación, como el yoga, los ejercicios respiratorios, los masajes, etc. Elige la que más te guste, pero hazlo. Es necesario que te relajes.

# AGRADECER Y ARRIESGAR
## *Gratitud y prosperidad*

Recibes cuando das. Conseguirás cosas nuevas cuando te arriesgues. Al dar las gracias, aumentas el valor de aquello que se te ha dado. La gratitud es el más importante de todos los sentimientos.

La mayoría de la gente suele pedir aquello que no tiene y le gustaría tener, o que tuvo y perdió. Pero es difícil encontrar a alguien que dé las gracias por lo que ya tiene, o por aquello que no tiene y no le gustaría tener, como una enfermedad, por ejemplo.

En el mundo hace falta gratitud. Esa es la causa de tantas peleas y tanta infelicidad entre las personas. Da las gracias todos los días por lo que tienes y te gusta tener, y el Universo seguirá dándote más, y no sólo de eso, sino también de las cosas que no tienes y aún no sabes que te gustaría tener.

¡Tal vez ya estén en camino hermosas sorpresas!

¿Sabes cuál es la diferencia entre el distrés y el estrés? El estrés es algo bueno. Libera adrenalina en la sangre, y hace que aumente el ritmo de los latidos del corazón y el flujo sanguíneo en los músculos. Es el estrés lo que salva al alpinista que, al caer, se aferra a una piedra.

El estrés forma parte de la vida. El único lugar donde no existe es en la paz eterna de los cementerios, para los muertos, por supuesto, porque los vivos sufren de estrés cuando entran allí. Ya lo decía Jimi Hendrix: La armonía absoluta sólo se encuentra en la muerte.

El distrés es perjudicial. Es el estado en que nos encontramos cuando estamos preocupados y ansiosos. Deprime el organismo y el sistema inmunitario y quedamos más expuestos a enfermedades como el resfriado. Debes evitarlo: aprende a controlarte y a estar a gusto contigo mismo. Resumiendo, relájate y encuentra el equilibrio, porque si no, vendrá la enfermedad.

## APRENDE A VISUALIZAR

¿Has oído hablar de la visualización? Es un método milenario de condicionamiento cerebral. Funciona así: se trata de «crear» una realidad para nuestro cerebro, visualizando todos los detalles de un objeto, un sentimiento o un acto. Si la visualización está bien hecha, la mente no distingue si es real o no. Serviría para engañar a un detector de mentiras, por ejemplo.

En la Universidad de Yale se realizó un estudio al respecto: se seleccionó a 30 estudiantes que nunca antes habían utilizado un arma de fuego. A todos se les hicieron pruebas de tiro, y a continuación se los agrupó en tres equipos, según el promedio de aciertos.

El primer grupo pasó a entrenar 20 minutos al día, cinco veces por semana, durante seis semanas. Los estudiantes del segundo grupo también iban al lugar de entrenamiento con la misma frecuencia, pero en lugar de disparar de verdad, sólo se lo imaginaban, e imitaban el gesto de disparar, es decir, visualizaban los disparos. El tercer grupo también hacía acto de presencia, pero sólo para mirar, sin hacer nada.

Tras esas seis semanas, se repitieron las pruebas, y todos dispararon con armas de verdad. El primer grupo, que se había entrenado con revólveres, mejoró sus resultados en un 83%. El segundo grupo, que sólo había visualizado que estaba disparando, los mejoró en un 82%. ¡Casi igual! El tercer grupo consiguió un resultado mediocre, muy por debajo de los otros dos. Esto demuestra que el revólver tan sólo fue un instrumento para centrar la mente.

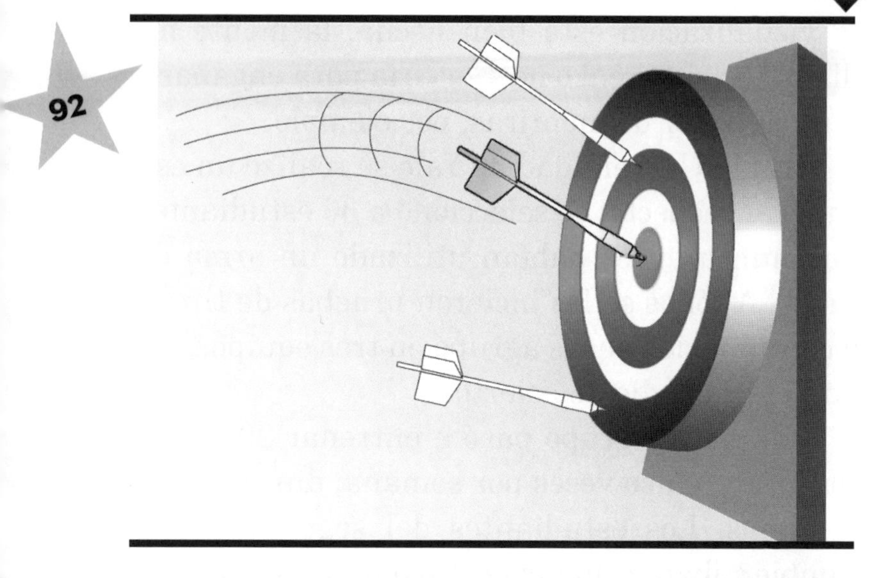

## NO SE EQUIVOCA QUIEN NO LO INTENTA

Otra cosa importante para mejorar nuestra autoestima es saber aceptar nuestros errores. Todos nos equivocamos cuando tratamos de hacer algo. Y es mejor intentarlo que no intentarlo.

Es el caso del niño que está aprendiendo a andar: lo intenta, se cae y se levanta. Y así sigue hasta que llega el día en que, por fin, lo consigue. Imagina que los niños no aceptaran fallar en sus intentos; entonces nadie en el mundo sería capaz de andar. Pero recibimos una educación equivocada en la que fallar es pecado.

El problema es que no sabemos digerir los errores, nos volvemos inseguros, nos da miedo ser osados, porque la imagen que tenemos de nosotros mismos podría salir perjudicada.

Pero el hecho es que es difícil acertar a la primera en las cosas de la vida que son importantes. Equivocarse, fallar, forma parte de la vida. Debemos aceptar nuestros errores y aprender de ellos, pues de este modo tendremos mayores oportunidades de éxito cuando lo volvamos a intentar. Sólo así —aprendiendo, consiguiendo y progresando—, confiaremos más en nosotros mismos y aumentará nuestra autoestima.

Los errores son grandes momentos
de nuestra existencia.

¿Crees que estoy exagerando? Pero es que sin error no hay acierto. Y sin acierto no hay éxito ni victoria. Si encaras tus errores de este modo, te resultará más fácil aceptarlos y sacarás mayor provecho de ellos.

## SONREÍR ES MUY BUENO

¿Quieres que crezca tu autoestima? ¡Sonríe! ¿Sabes qué? Cuando sonríes, se mueven 28

*Una buena* **cualidad** *puede imponerse a muchos* **defectos**

músculos de tu cara, menos que los 32 que se contraen cuando arrugas la frente y pones cara de preocupación. ¡Sonríe, aunque sólo sea por economía!

La sonrisa es muy importante para mejorar la autoestima. Cuando sonreímos, aunque no sintamos nada, nuestro cerebro lo entiende como una señal de que todo va bien y manda un mensaje al sistema nervioso central para que libere una sustancia llamada beta-endorfina, que da a la mente una respuesta positiva. ¿Tu madre no te decía que «sonreír es el mejor remedio»? Pues así es, estaba en lo cierto. Sonreír es muy bueno.

Las mujeres sonríen más que los hombres. Diversos estudios lo prueban. Y, como ya sabrás, las mujeres viven por término medio ocho años más que los hombres. ¿Tendrá algo que ver la sonrisa en eso? En mi opinión, sí.

Por razones culturales, los japoneses sonríen cuando están junto a otra persona. Pensando en ello, unos investigadores decidieron llevar a cabo una peculiar experiencia: reunieron a un grupo de japoneses y les pasaron una película de terror.

Mientras miraban la película, los técnicos

les midieron el ritmo cardiaco y les tomaron muestras de sangre para averiguar el nivel de catecolaminas, las hormonas del estrés. Se prepararon dos situaciones: en la primera, los espectadores asistían acompañados a la proyección, y en la segunda, veían la película solos. En la primera situación, cuando aparecía una escena de terror, los japoneses miraban a la persona que los acompañaba y sonreían. En la segunda, al asistir solos a la sesión, no tenían a nadie a quien sonreír. Resultó que en la primera situación el ritmo cardiaco y el nivel de catecolaminas eran mucho menores que en la segunda, lo cual demuestra que sonreír hace que disminuya el estrés.

## SÉ AMABLE. YA HAY DEMASIADO MAL CARÁCTER EN EL MUNDO

Otra actitud importante para reforzar tu autoestima es la de ser bueno con los demás: ser útil sin ánimo de lucro, ser generoso... Está escrito en la Biblia: «Dad y recibiréis». Es la pura verdad.

Es fundamental que escojas cuidadosamente a las personas de tu entorno. Las auras que están en la misma frecuencia se atraen. Te voy a dar un consejo: si vas a visitar una ciudad donde nunca antes hayas estado, visualiza que todo te saldrá bien y que te encontrarás con buena gente. Si piensas de este modo, eso es lo que ocurrirá, y te relacionarás con personas amables. Pero prepárate si vas con recelo. Probablemente, te cruzarás con gente que estará como tú, y eso no es divertido. Lo semejante atrae lo semejante.

## CONCÉNTRATE EN TUS CUALIDADES

Existe la creencia, muy extendida, de que debemos trabajar en nuestros puntos débiles. Tonterías. La verdad es que debemos concentrarnos en nuestras cualidades.

Si eres bajito, no podrás dedicarte profesionalmente a jugar al baloncesto. Aunque te entrenes las 24 horas del día, nunca servirás para ello. Y si mides dos metros de altura, quítate de la cabeza la idea de convertirte en un *jockey* profesional.

Para ganar dinero no es preciso disponer de un determinado biotipo. El dinero nunca va a parar a las manos del pobre, sino a las de quien tiene dinero. Es como el odio, que vuelve a quien odia, y como el amor, que lo recibe quien lo da.

Para ganar dinero, piensa siempre en los momentos de tu vida en que más rico hayas sido. Si consigues visualizar las épocas de tu vida en que más éxito y dinero has tenido, más éxito y dinero tendrás. ¿Lo dudas? Antes de descartar esta idea, pruébala. Y recuerda que este método a mí me ha funcionado. Utiliza las líneas que siguen para tus notas.

**El éxito trae éxito, pero eres tú quien hace posible tu éxito.**

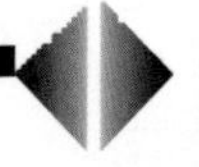

# 14

# MEJORA TU VIDA



## ES MÁS FÁCIL DE LO QUE PARECE

Si has prestado atención a lo que has leído en estas páginas, ya debes de haber entendido que te conviene utilizar los dos hemisferios de tu cerebro y aumentar tu autoestima.

En este capítulo hablaré más del desarrollo del cerebro a lo largo de la infancia y de la adolescencia (si te encuentras en este último caso, sabrás, por fin, qué está pasando en tu mente).

Hay tres fases básicas en la evolución mental del ser humano:

- del nacimiento a los siete años;
- de los siete años a los catorce;
- de los catorce a los veintiuno.

## MANIFESTACIÓN FÍSICA
### *Cuando la mente actúa como cocreadora*

Todo lo que vives cada día ha surgido en primer lugar en tu mente. El pensamiento es energía, y la energía sigue al pensamiento.

Los pensamientos generan sentimientos, y los sentimientos generan comportamientos. Así, si crees que eres atractivo, te sentirás atractivo y empezarás a actuar como una persona atractiva.

La manera en que la gente se comporta provoca distintas consecuencias en nuestra vida, y esas consecuencias generan nuevos pensamientos en nuestra mente. Así se forma el ciclo de pensar, sentir y actuar.

Los pensamientos dependen de lo que cada persona cree. Si no te gustan determinadas cosas que están sucediendo en tu vida en estos momentos, haz un balance de todo lo que has pensado y de las creencias que hay detrás de tus pensamientos. Cambia un poco esas creencias, alterando el lenguaje, y empezarán a ocurrir cosas mejores.

Tú estás al mando de tu propio avión. Saca las manos de los bolsillos y pilótalo con seguridad y determinación para alcanzar tus sueños.

XIII

Hasta los siete años, el cerebro funciona como una esponja: absorbe todas las informaciones, sin cuestionar nada. El niño está consciente, pero no tiene opinión crítica, simplemente almacena información y experiencias.

Este es el periodo que más marca. Si le dicen a un niño que quienes ganan dinero son personas deshonestas y que no irán al cielo, se lo cree. Como el cerebro está limpio, ni siquiera lo cuestiona; la información entra, sin más.

Más adelante en la vida, cuando tenga la necesidad de ganar dinero para sobrevivir y hacer las cosas que le gustan, no lo conseguirá, y no sabrá la razón, porque esos mensajes negativos ya formarán parte de su inconsciente. Si la cabeza fuera un ordenador, esas informaciones estarían en el disco duro de su cerebro. Se pueden sacar de allí, pero es algo que exige un esfuerzo.

## LA SEGUNDA FASE

Va de los 7 u 8 años a los 14 o 15. El niño empieza a cuestionarse la información que recibe y a elaborarla. Es capaz de razonar y de procesar datos, y los adultos son su ejemplo: los observa atentamente y los imita. Copia sus gestos, e incluso repite las palabrotas que escucha. Los padres deben cuidar mucho, en esta fase, lo que dicen y hacen delante de su hijo, pues su cerebro es muy receptivo.

## LA TERCERA FASE

Es la fase de socialización. Va de los 14 o 15 años a los 21. Rebelde y crítico, el niño se convierte en un adolescente. Sufre cambios hormonales, que incluyen la capacidad reproductora y el impulso sexual. La necesidad de socialización se pone de manifiesto cuando prefieren pasar el fin de semana con los amigos antes que con la familia, por ejemplo. Necesitan salir y enamorarse, y los padres dejan de ser su ejemplo (incluso hay jóvenes que se avergüenzan de que los vean con ellos).

Decidí hablar de estas tres fases para mostrar que nadie escapa a ellas. No escogemos

*Eres el resultado de lo que* **percibiste** *y no de lo que* **sucedió**

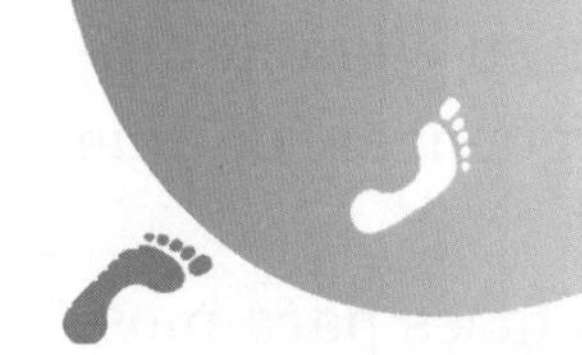

nuestra vida, pero lo fundamental es que vivimos según el programa que se instaló en nuestro cerebro hasta los siete años de edad.

No elegimos la religión que tenemos: alguien la introdujo en nuestra mente. Lo mismo ocurre con los prejuicios y las ideas. ¿Quieres un ejemplo? ¿Has intentado cambiar de equipo de fútbol y pasar a ser seguidor de otro? Es muy difícil, porque las preferencias y los valores ya están instalados en tu mente, como el sistema operativo de un ordenador.

> Nuestra autoestima es como un frasco de cristal lleno de caramelos de distintos sabores. Algunos son dulces, otros ácidos, e incluso los hay que son insípidos.

Supongamos que los caramelos ácidos son aquellos traumas que te gustaría eliminar: soy feo, me toman por idiota, no me sale nada bien, no le gusto a nadie... Los caramelos insípidos son los momentos de vergüenza, como aquella vez que te hiciste pipí encima en la escuela o cuando te pegaron y volviste llorando a casa.

Te gustaría desprenderte de los caramelos ácidos y de los insípidos. Es difícil. Hay caramelos a los que odias, pero ni siquiera sabes que existen, pues están muy arraigados en lo más hondo de tu experiencia.

Más fácil que tirar los caramelos ácidos y los insípidos, es poner los más dulces (los mensajes y las experiencias positivas) bajo presión. De este modo, expulsarán a los otros.

Lo que quiero decir con esto es lo siguiente:

**Sustituye las experiencias negativas de tu vida por mensajes positivos.**

Esta es la manera más práctica de hacer limpieza en tu programación personal. Si mejoráramos la autoestima de todas las personas de la Tierra, el mundo entero mejoraría. Este es el camino.

# 15

# HABLA CONTIGO MISMO



## LAS COSAS BUENAS AHUYENTAN LAS COSAS MALAS

El lenguaje oral acompaña al ser humano desde los tiempos de los gruñidos de los hombres de las cavernas. Es un intento de expresar lo que ocurre en nuestra mente, de explicar las experiencias de la vida y las conclusiones que sacamos.

El problema es que el lenguaje no llega a expresar todo lo que ocurre en nuestra mente; no es un modo rápido ni lo suficientemente complejo para expresarlo. ¿Resultado? La gente no se entiende entre sí, y por eso ocurren desgracias.

## SINERGIA

### *Hacer más con menos*

La sinergia es unir fuerzas y caminar juntos para conseguir alguna cosa. En la sinergia, el resultado es mayor que la suma de las partes, y las matemáticas cambian: 1 + 1 = 4.

Todo el Universo está construido sinérgicamente.

Siempre que dos o más mentes se unen en un espíritu de colaboración y respeto para trabajar, la sinergia se manifiesta de forma natural. Si tú y un amigo os reunís para estudiar juntos y los dos tenéis realmente ganas de aprender, puedes estar seguro de que en el examen sacaréis mejor nota que la de cuatro compañeros que estudien solos.

El único camino para evitar que el hombre destruya el equilibrio ecológico es aprender a trabajar sinérgicamente. El secreto no consiste en utilizar muchas cosas para conseguir lo que se desea, sino en conseguir lo que se desea utilizando pocas cosas de la manera adecuada.

Un error en la comunicación puede cerrar las puertas del futuro a muchos jóvenes estudiantes. En la familia, puede costar el amor y la satisfacción. En un noviazgo, puede significar el final de una relación que podría haber funcionado. En el trabajo, puede representar la diferencia entre ser ascendido o despedido.

Podríamos evitar muchas cosas malas si fuéramos capaces de hablar con nosotros mismos de una manera más eficaz. A esto se lo llama «comunicación interior» o «diálogo interno».

Como ya he dicho, hasta los ocho años de edad el niño escucha unas cien mil veces la palabra «no». Eso condiciona al cerebro a pensar de forma negativa, y la mente se concentra en lo que no desea en lugar de concentrarse en lo que sí desea. Esto es muy importante:

**Concentra tu mente en lo que quieres. Piensa en lo que deseas. Aprende a hablar de forma positiva con tu cerebro.**

Veamos un ejemplo. Si quieres adelgazar, piensa de la siguiente manera: «Quiero adelgazar». No pienses nunca: «No quiero estar gordo», porque el subconsciente es muy directo, toma siempre el atajo y el tiro acaba saliendo por la culata, es decir, la mente registra el «quiero estar gordo» y se olvida del «no».

Con los sueños ocurre lo mismo. ¡Piensa de forma positiva! Di: «Quiero conseguir esto», «Quiero conquistar a esa chica», «Quiero entrar en la universidad», «Quiero este empleo». Nunca, nunca, nunca pienses: «No quiero fallar».

Para nuestra mente, lo importante de una frase negativa no es la palabra «no». El cerebro omite el «no», y el resultado acaba siendo el opuesto al deseado.

Si te digo: «No pienses en el color rojo», estoy convencido de que habrás pensado en el color rojo. ¿Por qué, si te dije que no pensaras en él? El cerebro se olvida del «no» y piensa de inmediato en el color rojo. Por esta razón debes eliminar la palabra «no» y construir frases directas y positivas, para ir por el buen camino.

*Ser* **optimista**
*solamente es útil*
*si va acompañado*
*de* **acciones**
**correctas**

Concentrarte en lo que no quieres es como conducir un coche mirando siempre por el espejo retrovisor. Sabes de dónde vienes, pero no adónde vas.

Cuando hables contigo mismo, filosofando, evita las frases negativas. Exprésate de un modo más claro y directo, para estar seguro de ir por el buen camino.

Deja de engañarte. Sólo si cambias tu diálogo interno serás capaz de controlar tus emociones.

**Para: Ti**
**De: Lair Ribeiro**

Hola, ¿todo va bien?

Si no es así, sé consciente de que nada dura eternamente. En nuestra vida debe haber una alternancia de cosas buenas y malas. Sólo quien está en el cementerio no tiene problemas.
¿Cómo van las cosas con tus profesores? Procura ser amable con ellos, pues dedican una buena parte de su vida a la formación de sus alumnos.
Piensa en eso con cariño y sé más benevolente con ellos. A largo plazo te darás cuenta de que fueron tus mejores amigos.

Un abrazo

16

# PIENSA ANTES DE HABLAR



## PERO NO PIENSES DEMASIADO ANTES DE ACTUAR

Después de aprender a hablar contigo mismo, el paso siguiente consiste en aprender a hablar con los demás. Tu supervivencia depende de ello. La manera en que nos comunicamos es fundamental para alcanzar el éxito en cualquier campo de actividad.

El hombre es un animal social. Por eso tenemos que comunicarnos sin parar, desde la cuna hasta la muerte. Lo que

## ARMONÍA ARMÓNICA
### *La ley de las leyes*

¿Te has dado cuenta de que todo el mundo siempre desea alguna cosa? Lo que buscamos, en realidad, es algo que nos proporcione una sensación de paz y alegría por un instante. Y esto que buscamos sin cesar se llama Armonía.

Si consigues sintonizar armónicamente con el Universo, con todo y con todos a tu alrededor, con el ritmo del tiempo y contigo mismo, entonces desaparecerá el cansancio de tu vida cotidiana y te sentirás cada vez más libre. La armonía es el punto principal de la vida de una persona.

pensamos, lo que queremos y lo que somos depende de ello. La capacidad de expresión es, probablemente, la más importante de todas las que el ser humano puede desarrollar.

Sir Francis Bacon, filósofo inglés, decía que el conocimiento es poder. Estoy de acuerdo con él sólo en parte; para mí:

**El conocimiento es poder en potencia. Sin la acción, no tiene ningún valor.**

¿Cuál es el valor de doce toneladas de oro en Marte? ¿Y el valor de alguien que tiene la Enciclopedia Británica en la cabeza pero que no se comunica con nadie? Ninguno. El conocimiento sin la acción no tiene ningún valor. ¡Es mucho mejor tener menos conocimientos y actuar más!

El mundo juzga quién eres de cuatro maneras distintas: por lo que haces, por tu apariencia, por lo que dices y por cómo lo dices.

## LO QUE HACES



Lo que haces está muy relacionado con tu forma de comunicarte. La manera en que expresas lo que dices es tan importante como lo que haces para alcanzar el éxito y causar buena impresión.

Creer en lo que haces es muy importante para tu autoestima. ¿Quieres que te explique dos maneras bien distintas de tomarse un mismo hecho? Dos albañiles están construyendo el campo de fútbol mayor del mundo. Hablando de su trabajo, uno de ellos dice: «Coloco un ladrillo encima de otro». Pero su compañero se lo toma de forma diferente: «Estoy construyendo el mayor estadio del mundo, algo que quedará para la posteridad».

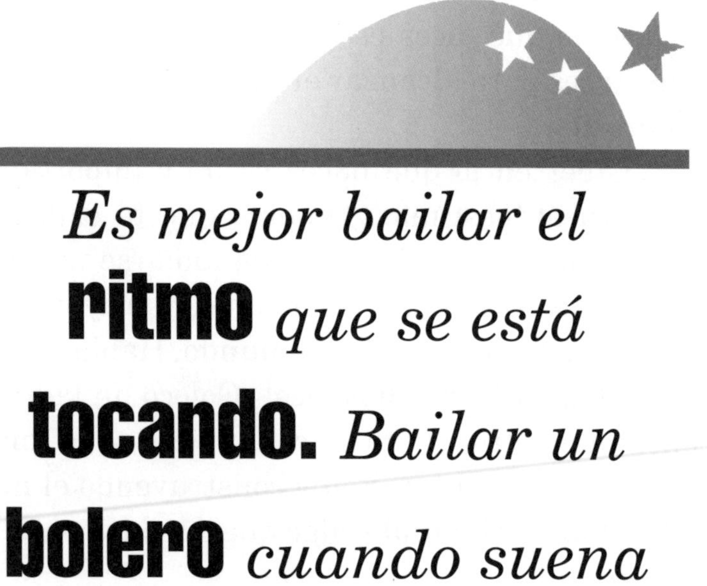

*Es mejor bailar el* **ritmo** *que se está* **tocando.** *Bailar un* **bolero** *cuando suena una* **samba** *es buscarse problemas*

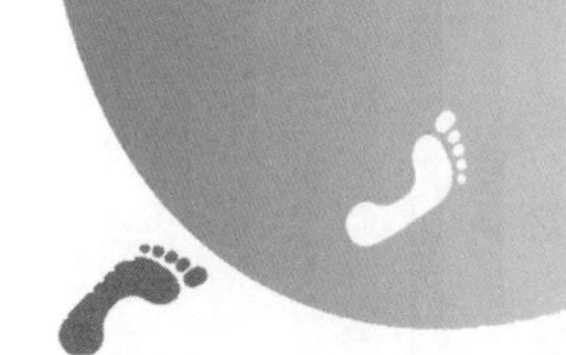

La diferencia está en la fe y la pasión con las que trabajamos. Cuanto más creas en aquello que estás haciendo, mayores oportunidades tendrás de llegar más lejos.

## TU APARIENCIA

Pondré un ejemplo para que te des cuenta de la importancia de este tema. En el metro de Nueva York se llevó a cabo una investigación con la ayuda de varios estudiantes. El billete costaba 75 centavos y a cada muchacho se le dieron sólo 50, y tenían que pedir dinero a los pasajeros para completar el precio del billete.

Pues bien. Durante la primera hora, la media de recaudación fue de seis dólares. A continuación, se les pidió que se pusieran traje y corbata, y la media fue (también en una hora) de 17-18 dólares. ¡Un incremento del 300%!

En Estados Unidos se llega al extremo de no ascender a aquellos que no utilicen traje y corbata. Aquí no llegamos a tanto, aunque todo aquel que tenga cierto poder y dinero se ve obligado a vestir con traje y corbata.

Es obvio que esta costumbre puede cambiar; hoy en día no se exige esta vestimenta en la mayoría de trabajos. Pero la sobriedad y el estilo con que nos vestimos es muy importante. Puede que no nos guste, pero la vida es así.

Hay profesiones en que no se exige demasiado con respecto a este tema, y otras en las que se requiere llevar uniforme. Da lo mismo, de todos modos la ropa siempre tiene que estar limpia y en buen estado. Eso es muy importante. Demuestra profesionalidad y celo, características esenciales para cualquier puesto de trabajo. ¿Confiaríamos en un médico que llevara la bata manchada de sangre, las gafas rotas y un estetoscopio deteriorado? Claro que no.

Sólo tenemos una oportunidad de causar buena impresión: la primera vez. El juicio que de ti se hagan los demás depende de los tres o cuatro primeros minutos. Cuando ya se han formado una impresión, cuesta mucho cambiarla. Por eso los pequeños detalles significan una gran diferencia en el resultado final. No tendrás una segunda oportunidad de causar una buena impresión a alguien.

Por ello, si todavía no trabajas y te gusta vestir con bermudas, camiseta y zapatillas deportivas, aprovecha ahora que puedes, porque cuando entres en el mercado de trabajo, sólo podrás vestir así los fines de semana. En el mundo de hoy, uno es según cómo viste.



## LO QUE DICES

Siempre serás valorado por lo que digas. Desde el momento en que una idea salga de tus labios, olvídate. Si has acertado, estupendo, y si no... Por ello, antes de decir nada, pregúntate:

- Lo que voy a decir, ¿le interesa a quien me escucha?
- ¿Tiene sentido para mi interlocutor?
- ¿Siguen mis ideas un razonamiento lógico?
- Lo que voy a decir, ¿traerá algún resultado positivo?

Para cada tipo de persona con quien nos toca lidiar, existe un campo de interés particular y un código de comunicación propio. Es un hecho, y no se puede cambiar. Así pues, tendrás que averiguar cuáles son los de tu interlocutor antes de empezar a exponer tus ideas.

Por ejemplo, si estás hablando con un obrero, tu lenguaje debe ser accesible e interesante para él si no quieres correr el riesgo de que no te comprenda. De nada sirve que le hables en tu argot juvenil, del mismo modo que no funcionaría hablar con un estudiante en el argot de los obreros.

Cada grupo de personas tiene su forma de vida y su manera específica de pensar y de hablar. Eres tú quien tiene que comprender con quién estás hablando y adaptar tu mensaje a tu interlocutor. Tu personalidad es una, pero tu manera de expresarte puede variar. Para tener éxito al comunicarte con los demás, has de estar preparado para lo que vas a decir y hablar de forma atractiva y tranquila.

## CÓMO LO DICES

La forma de hablar es tan importante como el contenido. El sentido de una frase puede cambiar según la manera de decirla y dónde se ponga el énfasis. Fíjate en la frase siguiente:

*Yo no dije que él robara el dinero.*

Ahora repite la frase poniendo el énfasis en la primera palabra:

***YO*** *no dije que él robara el dinero.*
(¿Quién lo dijo?)

Léela ahora poniendo el énfasis en otros elementos de la oración:

*Yo no **DIJE** que él robara el dinero.*
(¿Cómo lo expresaste entonces?)
*Yo no dije que **ÉL** robara el dinero.*
(¿Quién lo robó?)
*Yo no dije que él **ROBARA** el dinero.*
(¿Cómo lo consiguió?)
*Yo no dije que él robara el **DINERO**.*
(¿Qué fue lo que robó?)

¿Te has dado cuenta? El significado de la frase cambia dependiendo de dónde se ponga el énfasis. Parece obvio, pero son pocos los que piensan en ello. Presta mucha atención a lo que quieres decir y lo que deseas remarcar.

La comunicación es como un baile. Cuando una pareja baila bien, no se nos ocurre decir que uno lleve al otro. El baile es fluido, parece fácil para quien lo está viendo. Cuando nuestro cuerpo y nuestra mente están sintonizados en un mismo mensaje, nuestro poder de influir con lo que decimos aumenta bastante. De este modo tenemos la posibilidad de convencer a cualquiera.

Y cuando lo que dices convence, amigo mío, ya tienes la mitad del camino recorrido para conseguirlo todo en la vida.

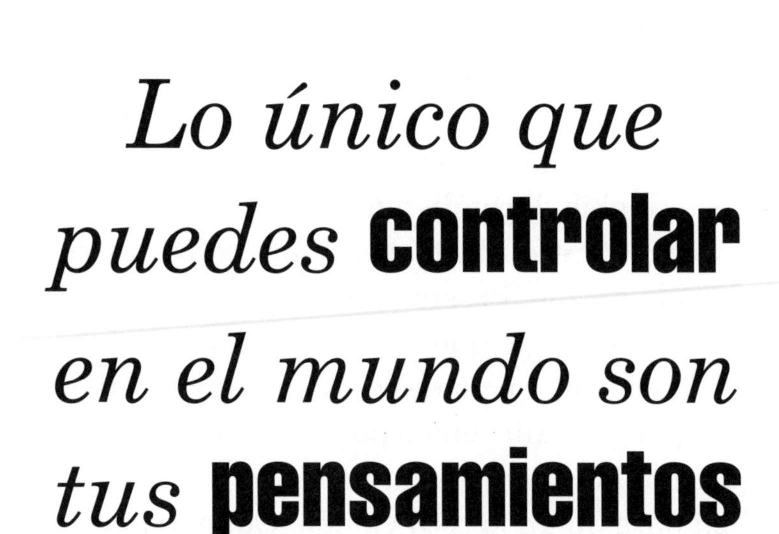
*Lo único que*
*puedes* **controlar**
*en el mundo son*
*tus* **pensamientos**

# 17

# LOS OJOS EN LOS OJOS

## CÓMO ENTREVER EL ALMA DE UNA PERSONA



Seguro que conoces esta frase: «Los ojos son el espejo del alma», ¿no? Es la pura verdad. Si prestas atención a los ojos de una persona y a los consejos que te daré a continuación, te garantizo que tú también creerás en esta famosa sentencia.

Poca gente se da cuenta de ello, pero el movimiento de los ojos es revelador. Por medio de él, se puede averiguar lo que una persona quiere decir realmente. Mientras hablamos, nuestros ojos se mueven. Según el lugar hacia donde miren, se activan distintas partes del cerebro.

## EVOLUCIÓN Y MÁS EVOLUCIÓN
### *La dinámica universal*

El motivo de que estemos vivos en el Universo es la evolución. Todos nosotros queremos ser mejores y evolucionar más cada día. Todo lo que ocurre en nuestra vida tiene una razón de ser, y lo que nos sucede es para nuestro bien (material y espiritual).

El único error que podemos cometer es negarnos a participar en esta evolución. Los demás errores son una respuesta del Universo para mostrarnos que no estamos en armonía con el sistema.

Tal vez no lo parezca, pero siempre estamos progresando hacia nuestro objetivo. Un ejemplo: si quieres viajar a Estados Unidos cuando seas mayor y has empezado a estudiar inglés, entonces ya estás avanzando en dirección a tu sueño.

Cambiar es lo único en la vida que siempre podemos hacer. Nuestra existencia está hecha de cambios.

| IZQUIERDA | | DERECHA |
|---|---|---|
|  | **OJOS HACIA ARRIBA** |  |
| Recordando imágenes | | Creando imágenes |
|  | **OJOS HACIA LOS LADOS** |  |
| Recordando sonidos | | Creando sonidos |
|  | **OJOS HACIA ABAJO** |  |
| Hablando con uno mismo | | Experimentando sensaciones y emociones |

(Recuerda que la referencia eres tú mirando a la persona. Si quieres saber cómo te sientes tú, es cuestión de que inviertas las posiciones y te coloques en el lugar del sujeto.)

Estos conocimientos son muy útiles.

Si durante una entrevista preguntas al candidato a un empleo si tiene experiencia previa y él mira hacia arriba y a su derecha (a tu izquierda), está mintiendo, incluso antes de abrir la boca. ¿Por qué? Porque está creando imágenes, y si está creando imágenes sobre un hecho que, supuestamente, ya ha ocurrido (que tenga o no experiencia), es que se prepara para mentir, ¿no es cierto? El cuerpo nunca miente.

Cuando una persona dice de alguien: «Está cabizbajo», lo que quiere decir es que está deprimido, ¿no es así?

En muchos países existe un número de teléfono especial para proporcionar ayuda emocional a aquellas personas que quieren suicidarse. Una de las primeras preguntas que se le hacen al posible suicida es hacia dónde está mirando. La respuesta, invariablemente, es: «Hacia abajo». Se le pide entonces que deje de mirar hacia abajo y que lo haga hacia el frente, para romper de este modo el impulso al suicidio. Por supuesto, eso no es todo, pero ya es un buen principio; se ha dado el paso decisivo sólo con los ojos.

*¿Lo has abierto? ¡Ciérralo!*
*¿Lo has encendido? ¡Apágalo!*
*¿Lo has conectado? ¡Desconéctalo!*
*¿Lo has desordenado? ¡Ordénalo!*
*¿Lo has ensuciado? ¡Límpialo!*
*¿Lo has roto? ¡Arréglalo!*
*¿Lo has pedido prestado? ¡Devuélvelo!*
*¿Lo has prometido? ¡Cúmplelo!*

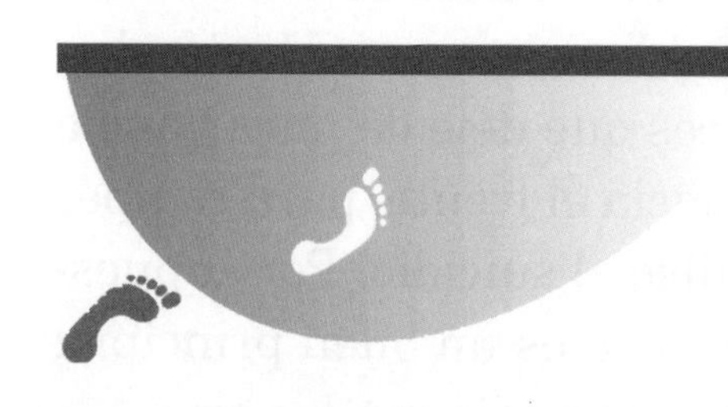

# 18

# EL IMPERIO DE LOS SENTIDOS



## CADA PERSONA SE COMUNICA A SU MANERA

Expondré a continuación algunas ideas sobre cómo sentimos la comunicación procedente del mundo exterior. Esto es muy importante, porque a pesar de que todos tenemos cinco sentidos, que funcionan a pleno rendimiento, siempre hay uno (o más de uno) que prevalece sobre los demás. Hablaré de ello a lo largo de este capítulo.

## UNIDAD SIN COMPLEJIDAD

***Uno para todos y todos para uno***

Todos nosotros formamos parte de una energía única llamada Universo. Todo lo que pensamos o hacemos contribuye, provocando el bien o el mal, a la vibración del Universo.

Si sólo tienes pensamientos de miedo y falta de armonía, contribuyes de manera negativa al Universo. Pero si vives con armonía, si respetas a los demás y piensas siempre en todos y no sólo en ti mismo, estás colaborando en el éxito del mundo.

El éxito universal y el éxito personal van de la mano y uno siempre depende del otro.

Ya debes de estar cansado de escuchar que percibimos los acontecimientos a través de nuestros sentidos. La mente reconoce los hechos a través de nuestros cinco sentidos; puede hacerlo con uno solo o con la suma de todos ellos. El cerebro procesa la información a través de cinco canales sensoriales:

- VISUAL, lo que vemos
- AUDITIVO, lo que oímos
- OLFATIVO, lo que olemos
- GUSTATIVO, lo que saboreamos
- CINESTÉSICO, las sensaciones exteriores como la temperatura, la textura y la presión, además de los sentimientos de alegría, tristeza, etc.

**Cada persona utiliza mejor uno de los sentidos.**

Hay quienes usan más el canal visual; son como Santo Tomás: necesitan verlo para creerlo.

Otros piensan que «una palabra vale más que una imagen» y prefieren ante todo escuchar. Y los hay que se inclinan por oler, saborear o «sentir» lo que está ocurriendo. Los seres humanos somos muy distintos, incluso en la manera en que sentimos los estímulos sensoriales.

> Imagínate a una pareja típica. Los dos se gustan mucho, aunque ponen el énfasis en sentidos diferentes: él es del tipo visual, mientras que ella es del tipo auditivo. Entre ellos habrá peleas por cuestión de sus distintas preferencias.

¿Quieres comprobarlo? La chica le dice al chico: «Ya no me quieres». Él se pone nervioso y responde: «¿Pero cómo no te voy a querer si te regalé una cadena de oro que me dejó sin dinero?». Y ella le contesta: «Sí, pero nunca me dices que me quieres». Ya está liada. La cuestión es que ella es auditiva y quiere oír de labios de él las palabras: «Te quiero». Pero el chico es visual y cree que no tiene que decir nada porque ya le ha hecho un buen regalo.

A las personas cinestésicas, les gusta estar cerca de los demás, tocar y que las toquen (son excelentes fisioterapeutas). Cuando se encuen-

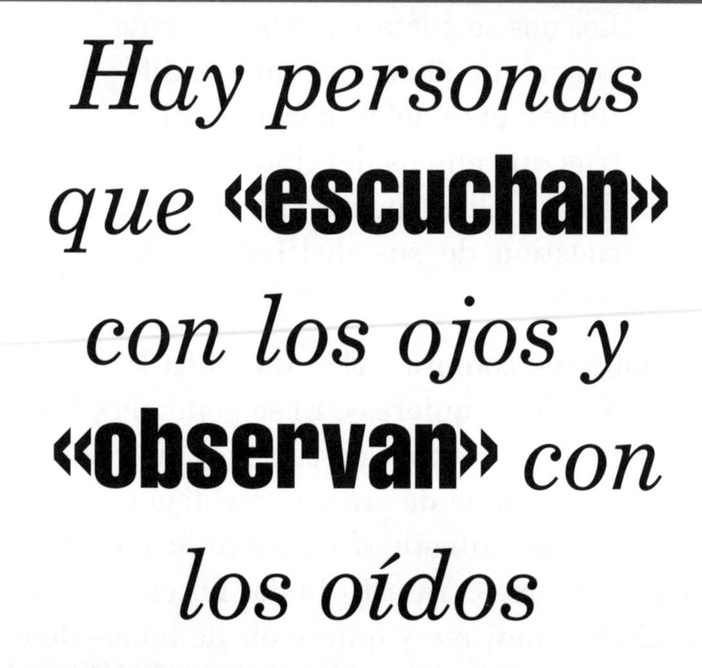

*Hay personas que* **«escuchan»** *con los ojos y* **«observan»** *con los oídos*

tran un tipo visual y uno cinestésico, el primero intenta alejarse para tener una visión global, mientras que el segundo procura acercarse para sentir mejor a la otra persona. No hay manera de ponerse de acuerdo.

La cuestión es que si eres más visual, debes procurar potenciar los demás sentidos, trabajar más el oído, el olfato y el tacto. Si eres del tipo auditivo, estimula los demás sentidos. Refuerza los sentidos que menos utilices.

**Cuantos más sentidos utilices, mejor será la imagen de cada acontecimiento en tu cerebro.**

Si una persona se queda ciega, aumenta su capacidad auditiva; la mente compensa la ausencia de recepción visual con una mayor percepción sonora. Fuerza tu cerebro a aumentar la recepción de estímulos sin perder ninguno de ellos. Si ves mucho, escucha más. Si oyes mucho, mira más. No esperes a perder un sentido para descubrir que tu cerebro es capaz de hacerlo de forma natural.

Te explicaré mi caso. Cuando doy una conferencia, tengo que mantener la atención de todo el mundo. Entre el público, hay gente de todos los tipos. ¿Qué hago entonces? Utilizo diapositivas y vídeos para contentar a los visuales, hablo alto y en distintos tonos de voz para captar la atención de los auditivos, y me muevo por la sala para satisfacer a los cinestésicos. Y además saco provecho, porque al desarrollar varios sentidos al mismo tiempo, estimulo mi cerebro e infundo nuevas ideas a mi mente. Así es.

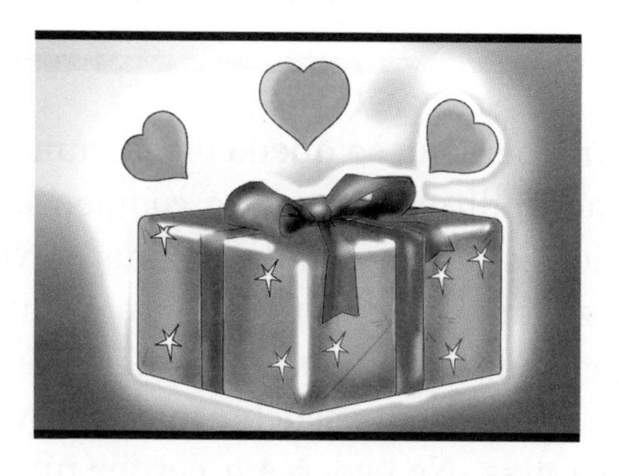

# 19

# DESCUBRE TUS METAS

## ¿QUÉ ES IMPORTANTE PARA TI? DECÍDETE YA Y EMPIEZA A HACER PLANES



Antes de empezar cualquier cosa, estructura y determina tus objetivos vitales. Confía en tu criterio y averigua, sin ayuda de nadie, qué es lo que realmente quieres conseguir. Define tus deseos. Si no lo haces, te resultará muy difícil alcanzar el éxito y realizar tus sueños.

¿Sabes cuál es la diferencia entre un sueño y una meta? Una meta es un sueño con una fecha concreta para convertirse en realidad. Un sueño es sólo un sueño, algo que está fuera de la realidad.

## CONOCIMIENTO Y SABIDURÍA

### *La inteligencia al servicio del Ser*

La sabiduría es el uso inteligente de todo el conocimiento que sabes que tienes y también de aquel que está escondido en tu inconsciente.

Para adquirir sabiduría, debes unir la experiencia con una profunda reflexión sobre ti mismo.

Quien consigue llegar a esa reflexión interior descubre por sí solo los secretos del Universo, porque es ahí, en lo más hondo de cada cual, donde residen esos secretos.

La persona que logra alcanzar la sabiduría es aquella que tiene una buena percepción de sí misma y también la capacidad de actuar.

Si lo que estás haciendo no da resultado, deja de hacerlo, piensa, analiza y decídete a cambiar alguna cosa. Seguir actuando de la misma manera y esperar resultados distintos es una tontería.

A veces, actuar puede significar no hacer nada. «No hacer nada», en muchos casos, es señal de que se está haciendo lo necesario para resolver un determinado problema.

XVIII

## Alcanzar un objetivo que no te has marcado es tan difícil como volver de un lugar al que nunca has ido.

Cuando te fijas una meta, influyes directamente en la construcción de tu propio destino. ¿Te acuerdas de aquello que dijiste que «algún día» harías? Olvídalo, nunca lo harás. Tu cerebro intenta entender esa orden, pero no sabe cuándo es «algún día». Por eso, no obedece la orden y deja la tarea por hacer. Nunca tendrás tiempo. Eso es como «estafar» a tu mente.

Pero si te dices a ti mismo: «Tendré ese asunto resuelto a final de mes», entonces sí que encontrarás tiempo. Tu subconsciente se preocupará, buscará un hueco para hacer esa tarea en el cronograma de tu cerebro y acabarás por resolver la cuestión.

Escalar el Everest, «el techo del mundo», un lugar inhóspito y difícil en la frontera entre Nepal y el Tíbet, en la cordillera del Himalaya, era un sueño para muchos.

En la actualidad, ese sueño se ha convertido en realidad para muchas personas. ¿Cómo? Con una planificación de al menos cuatro años, algunos millones de dólares y la ayuda de mucha tecnología. Sin planificación, sería imposible alcanzar la cumbre. Y, cuanto más ambiciosa sea la meta, mejor habrá de ser la planificación.

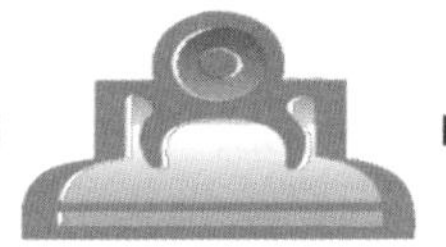

**Sin una planificación previa, tu sueño nunca se transformará en una meta.**

No hemos entrenado demasiado nuestro cerebro para planificar. Mucha gente piensa que eso da mucho trabajo. Pero trazar un plan es fácil, casi una diversión. Claro que hay que prepararse antes. Sin esa preparación, planificar se convierte en un sueño inalcanzable.

Para planificar, tienes que saber equilibrar tus metas; descubrir cuáles son las cosas más importantes para ti, en los distintos aspectos de la existencia, y aprender a equilibrarlas. Quien se limita obsesivamente a un único objetivo, acaba por descuidar otros igualmente importantes.

En primer lugar, es preciso tener un cuerpo sano para disfrutar de una mente sana. Pero si sólo tienes una meta en la vida, la *física*, cuando cumplas los cincuenta comprobarás que tu cuerpo se ha vuelto flácido y ha perdido fuerza, y entonces tu vida perderá sentido.

Vivimos en un mundo en el que el dinero cuenta mucho. Lo necesitas para vivir y para conseguir tus objetivos, de modo que debes tener también una *meta económica* en la vida. Aunque si lo piensas bien verás que el dinero no lo es todo. ¿Qué importancia tiene el dinero cuando se acaba de morir alguien a quien amas? Si no dispones de otras metas además de la de ganar dinero, serás un esclavo de él. No podrás reponer tus energías y puede que sufras un infarto. Peor aún, desperdiciarás el tiempo que deberías emplear en otras metas.

El ser humano es un animal social, necesita vivir en comunidad. Soy un ser humano, luego necesito también una *meta social*. Pero no sólo de fiestas y diversión vive el hombre, que además consumen la salud y te quitan el tiempo para ganar dinero. Lo mismo ocurre cuando amamos a alguien: aunque tal vez esa sea la persona más importante de nuestra vida, no es posible que le dediquemos toda nuestra atención.

Hay gente que sólo piensa en la familia, en nada más. Claro que la familia es importante, pero si nos centramos únicamente en la *meta familiar,* ¿qué ocurrirá cuando los hijos crezcan y se vayan de casa? Sufriremos lo que en la actualidad se conoce como «síndrome del nido vacío», una sensación inexplicable de pérdida y falta de sentido de la vida que afecta a las personas que sólo se han dedicado a la familia.

Todo el mundo necesita trabajar, y todos queremos prosperar en la profesión que hemos escogido. La *meta profesional* es sumamente importante. Pero si ese es el único propósito de tu vida, si eres de esos para quien el trabajo lo es todo, ¿qué harás cuando el aumento de sueldo que tanto esperabas no llegue?

También es preciso tener una *meta espiritual*, con el fin de conseguir el equilibrio necesario para sobrevivir. Pero recuerda que no sólo de espiritualidad vive el hombre. Y si no lo crees, pásate un día entero meditando o rezando, sin comer ni hacer nada más.

Únicamente me falta referirme a la *meta mental*. Un cerebro lleno de información te ayudará a alcanzar tus objetivos. Pero observa que he dicho «te ayudará». ¿De qué te sirve tener toda una biblioteca en la cabeza si no eres capaz de poner en práctica esos conocimientos? Estu-

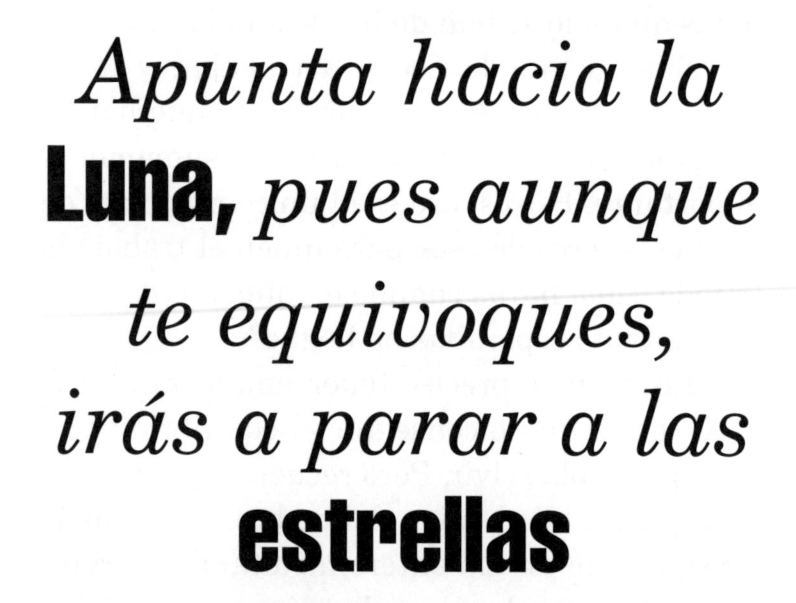

*Apunta hacia la* **Luna,** *pues aunque te equivoques, irás a parar a las* **estrellas**

diar sin parar no es garantía de nada. La información no proporciona necesariamente dinero, ni felicidad, ni evolución espiritual, ni amor.

La vida es una conjunción de metas. A cada uno de nosotros nos corresponde equilibrarlas de la forma más productiva. Tu éxito y tu supervivencia física y profesional dependen de ese equilibrio y de la importancia que concedas a tus metas. Esto lo sabes de forma instintiva, pues cuando estás en época de exámenes, seguro que dejas de salir a ligar, de hacer ejercicio y de divertirte. En cambio, durante las vacaciones, no quieres saber nada de estudiar.

Así pues, decide ya lo que vas a hacer, cuándo lo harás y cómo lo harás, y pisa a fondo el acelerador.

**Para: Ti**
**De: Lair Ribeiro**

Hola. Es estupendo que sigas leyendo este libro. Felicidades por tu perseverancia, pues son pocos quienes se comprometen con el proceso de aprender. ¡Continúa así!

Amor y sabiduría

Un abrazo

P.D. Si se te ocurre alguna idea de cómo los estudiantes pueden expresar su gratitud a los profesores, por favor, escríbeme y cuéntamelo.

# 20

# PIENSA A LO GRANDE



## AHORA, LA PRÁCTICA: APRENDE CON QUIEN HA CONSEGUIDO ALCANZAR SUS METAS

Ya has aprendido a definir tus metas. Ahora te daré algunos consejos prácticos que te ayudarán a conseguir todo lo que quieras. Presta atención, pues son muy importantes para alcanzar tus objetivos. Si quieres que se cumplan, tus metas deben ser:

- puestas por escrito en un papel
- grandes
- exclusivamente tuyas
- específicas

- a largo plazo
- localizadas
- positivas

Escribe tus metas en un papel.

Cuando pides un préstamo a un banco, todas las condiciones se ponen por escrito, ¿no es cierto? No es cuestión de llegar allí, coger el dinero y decir que ya lo devolverás algún día. Sin tu firma, el compromiso no se concreta.

Una investigación realizada en la Universidad de Harvard, en 1953, constituye una prueba de lo que estoy diciendo. Una de las preguntas que se hizo a los estudiantes se refería a sus metas en la vida: qué querían conseguir en el futuro. En la encuesta se les preguntaba también si habían puesto sus metas por escrito. Sólo un 3% respondió afirmativamente. Veinte años después se entrevistó a las mismas personas. Y, lo creas o no, los estudiantes que sí habían puesto por escrito sus metas habían progresado económicamente más que el 97% restante. Y además, eran los que más satisfechos se sentían con su vida. ¿Coincidencia? No. Objetividad.

Casi siempre que pregunto a la gente cuáles son sus planes para el futuro, la mayoría me responde que no ha tenido tiempo de pensar en ello. Si no se dispone de tiempo para pensar en lo más importante, es decir, la propia vida, ¿en qué se está pensando?

Te daré un buen consejo: escribe tus metas para los próximos seis meses, y para dentro de un año, de cinco, de diez y de veinte. Confía en lo que escribes y ponlo en práctica. El éxito te acompañará.

*Todos* **nacemos** *iguales: desnudos y disponiendo de* **24 horas** *al día*

Todo lo que es importante en la vida hay que ponerlo por escrito.

## LA META TIENE QUE SER GRANDE

Así es. Ha de ser uno de esos objetivos que, cuando se lo cuentas a tu mejor amigo, no se lo cree. Te hablaré de mi experiencia: en 1976 hice un curso en la Universidad de Harvard para licenciados en medicina. Le dije a un amigo que en un plazo de tres años estaría dando clases de cardiología. Mi amigo se rió abiertamente. Pero se tuvo que tragar su risa, porque a los ocho meses ya estaba dando una conferencia para cuatrocientos cardiólogos en Washington, y eso que al principio apenas hablaba inglés. Cuando le llamé por teléfono para contarle la buena noticia y él dudó, supe que iba por el buen camino.

## TU META HA DE SER EXCLUSIVAMENTE TUYA

Tiene que ser muy personal, pues de otro modo no lo pondrás todo de tu parte para alcanzarla. Si asumes como tuya la meta de otra persona, estarás involucrado en ella, pero no te comprometerás con ella. ¿Te acuerdas de la diferencia? Comprometerse es mucho más fuerte que estar involucrado. Si cometes un crimen, estás comprometido, eres el criminal. Si ves cómo se comete un crimen, estás involucrado, eres un testigo. Hay una gran diferencia, la que separa el hecho de ser o no ser el autor de algo.

## ESPECIFICA TU META

Quieres ganar dinero, ¿no es así? Pero ya llevas dinero en el bolsillo. El problema es que no le dices a tu cerebro cuánto dinero quieres. Si dijeras: «Quiero tener cien mil dólares en mi cuenta corriente», tu cerebro lo entendería y se pondría a trabajar para conseguirlo. El cerebro no comprende las órdenes vagas. Si quieres dinero pero no especificas cuánto, no actúa, a la espera de que decidas una cantidad. Una vez establecida esa cantidad, se pone en acción.

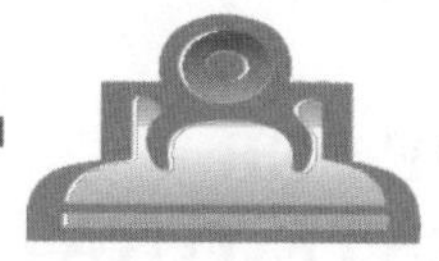

El cerebro sólo comprende las órdenes específicas.

## LA META DEBE SER A LARGO PLAZO

Tienes que tener un plan para toda la vida, pues, de otro modo, cuando alcanzas tu meta, te quedas sin nada que hacer y acabas deprimiéndote. Si estuviera bien planteado, podría ser incluso tu profesor quien te lo encargara como un trabajo. Pero no es posible, pues se trata de pensar a largo plazo. Ese trabajo sólo sería una etapa, pues tú tienes puestas tus miras más allá, como el viajero que sube a una montaña para tener una visión del valle a sus pies.

Debes definir lo que harás en los próximos cinco, diez y veinte años, y no centrarte en los pequeños detalles, sino en los aspectos fundamentales. La mejor manera es dividir un objetivo a largo plazo en metas anuales que hay que cumplir paso a paso, a base de tareas diarias, y hacer al final del año un balance para comprobar si se ha alcanzado todo lo propuesto o si queda algo. Planifícalo todo con atención y seriedad.

Si te equivocas en la planificación,
estás planificando equivocarte.

## SITÚA TU META EN EL ESPACIO Y EL TIEMPO

Si me preguntas cómo ir a determinado lugar, para responderte primero tendré que saber dónde estás. Sin esa información no podré decirte cómo ir. En la vida ocurre lo mismo. Ante todo es preciso que sepas dónde estás. Así resulta más fácil, y entonces sólo se trata de que sepas adónde quieres ir para que tu cerebro te lleve allí.

El objetivo tiene que ser práctico. No puede ser algo vago, abstracto. Has de preguntarte si tu vida mejorará cuando lo alcances, qué ganarás con ello y si ese conocimiento nuevo te supondrá algún beneficio real.

Debes saber que, a pesar de que lo que acabo de decir resulta obvio, la mayoría de la gente no sabe dónde se encuentra. Hay personas que se drogan y no saben por qué. También hay quienes pierden sus puntos de referencia y viven años de esta manera, sin siquiera saber que les ocurre algo negativo. Sé inteligente y evítalo.

## TU META TIENE QUE SER POSITIVA



¿Recuerdas lo que he dicho anteriormente del cerebro, que toma el atajo y no acepta órdenes negativas? Lo mismo ocurre con las metas. Ni hablar de metas negativas. Deben ser positivas y formuladas de un modo directo. Si te dices a ti mismo: «No quiero ser como mi padre», acabarás siendo como él. Debes decir: «Quiero ser diferente a mi padre». Si no lo haces así, estarás engañando a tu cerebro.

Si quieres adelgazar, no te digas a ti mismo: «No quiero estar gordo». Di: «Quiero adelgazar». De lo contrario, tu mente identificará la palabra «gordo» y hará todo lo posible para que tu cuerpo esté gordo. La negación de la gordura no existe para nuestro cerebro. Lo que existe es la gordura o el adelgazamiento. ¿Lo entiendes?

Seguramente tus padres te dijeron muchas veces: «No queremos que veas la televisión». ¿Y tú les obedecías? El 90% de la frase está constituido por: «queremos que veas la televisión». La orden correcta hubiera sido: «Queremos que te mantengas lejos del televisor», o: «Ponte a hacer otra cosa». Para obtener el resultado deseado, hay que cambiar el lenguaje. Para «no ver la televisión», el cerebro primero tiene que verla.

## La mente es capaz de programar una acción, no la negación de esa acción.

Si tus padres lo hubieran sabido, habrías visto mucho menos la televisión y habrías obedecido mucho más (y no quiero entrar en la cuestión de si es bueno o no ver la televisión). Tu percepción del mundo cambia cuando estableces metas positivas en tu vida.

# 21

# CAMBIA TU FORMA DE VER EL MUNDO



## ES EL PRIMER PASO PARA RESOLVER TODOS LOS PROBLEMAS

Puede que la oportunidad que estás esperando para conseguir lo que quieres de la vida pase ante tus ojos y tú no te des cuenta. Tal vez se trate de un problema con el que te enfrentas todos los días, en el trabajo o en los estudios, y que nunca nadie ha podido solucionar. Quizá sea algo que aún no se ha inventado.

Si no estás preparado para identificar y aprovechar una oportunidad, con toda seguri-

dad otra persona lo hará por ti: alguien mejor preparado, que ve más allá cuando los demás simplemente miran, alguien que ha tenido éxito en cambiar su paradigma.
Pero, ¿qué es un paradigma?

**Tu paradigma es la forma en que ves el mundo.**

Imagina un vaso con agua hasta la mitad. Para algunas personas, el vaso está medio lleno. Para otras, está medio vacío. Es el mismo recipiente; sólo cambia la forma de verlo. Así, no importa lo que está ocurriendo, sino cómo interpretamos lo que está sucediendo y cómo reaccionamos ante ello. Por esa razón uno de los vértices de la Estrella del Éxito es la actitud.

**Lo importante no es lo que te sucede, sino tu actitud ante ello, la manera en que respondes a lo que acontece en tu vida.**

La educación y la sociedad hacen que veamos el mundo de una forma masificada, estándar. La moda nos dice cómo vestir; la publicidad, qué consumir. El mundo influye en nuestra manera de pensar, creando y fortaleciendo paradigmas en nuestra mente.

Si consigues cambiar este estado de cosas y modificar tu paradigma, empezarás a ver lo que los demás no ven, y entonces, de forma natural, surgirán las oportunidades para alcanzar el éxito.

¿Recuerdas el estudio llevado a cabo por Napoleon Hill sobre los ricos del que he hablado al principio del libro? Una de sus conclusiones acerca de los millonarios era que reaccionaban ante los acontecimientos de forma distinta a lo habitual en la mayoría de las personas. Conseguían ver cosas que para los demás pasaban desapercibidas. Detectaban la oportunidad que estaba escondida y así ganaban dinero.

Uno de los padres de la economía moderna, el economista y filósofo escocés Adam Smith, dijo lo siguiente: «El paradigma nos explica cómo es el mundo, y con ello, nos ayuda a predecir su comportamiento».

Pero este brillante escocés aún añadió algo más con respecto al paradigma

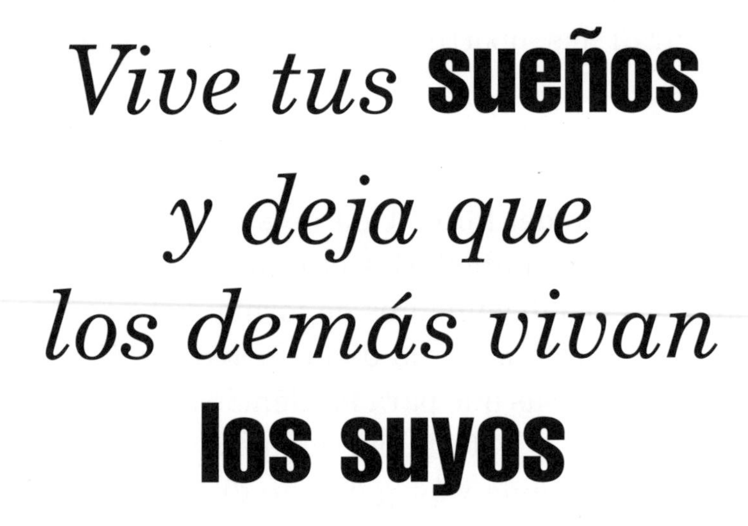
*Vive tus* **sueños**
*y deja que*
*los demás vivan*
**los suyos**

y la mente humana. Dijo que el paradigma es para el ser humano lo que el agua es para el pez, que no sabe que vive dentro de ella hasta que lo sacan fuera.

Si un esquimal de Alaska pasa la noche en casa de otro esquimal, éste le ofrece a su propia mujer como la cosa más natural del mundo. Es costumbre que el anfitrión ofrezca su mujer al visitante para que duerma con ella. Si el invitado rechaza la oferta, se considera un agravio, se entiende como una señal de desconfianza hacia el anfitrión, lo cual es motivo de vergüenza para él. Tal vez esta costumbre, tan extraña para nosotros, se deba al frío y a la necesidad de compartir el calor humano con alguien que a uno le guste.

**Distintas necesidades dan lugar a distintos paradigmas.**

Por otra parte, si viajas a un país musulmán y levantas el velo del rostro de una mujer que no conoces, estarás cometiendo un grave delito, y puede que acabes en la cárcel o en el cementerio. Tenemos que cambiar nuestro paradigma para adaptarnos al de un país extranjero si no queremos meter la pata y hacer que a la gente de ese país le resulte difícil aceptarnos.

¿Quieres otro ejemplo? En la antigua Roma, cuando los romanos iban a cenar a casa de alguien importante y se les servía pollo, tiraban los huesos hacia atrás. Y eso se hacía porque en aquella época se suponía que los personajes importantes tenían criados que limpiaban lo que los invitados ensuciaban; dicho de otro modo, eso significaba que el anfitrión era un hombre de éxito. ¡Imagina que vas a casa de tus abuelos y haces lo mismo!

Los estadounidenses son bastante versátiles cuando se trata de cambiar de paradigma. Incluso los hijos de la gente rica trabajan a partir de los 16 años como camareros, porteros o cualquier otra cosa para ganar su propio dinero. Allí no se suele dar dinero a los hijos adolescentes. Los padres hacen que los hijos cambien, y eso los ayuda a pensar de un modo diferente. Por término medio, los estadounidenses cambian de profesión cinco veces y se mudan de casa trece veces en su vida. Todos estos factores favorecen la versatilidad del cerebro y hacen que los jóvenes piensen diferente. Eso sería absurdo en nuestro país, donde un joven de clase media sólo se pone a trabajar cuando termina sus estudios, y a menudo, consigue que sus padres le compren un coche cuando entra en la facultad. Por ello, cuando llega el momento de ponerse a trabajar, su rendimiento es menor, porque siempre lo ha tenido todo muy fácil. Su paradigma es: cuando quieras algo, pídelo.

**Conocer los paradigmas es fundamental para los negocios.**

Suiza es un país conocido por sus relojes, ¿no es cierto? Pues mira cómo tropezaron con este tema.

En 1970, Suiza controlaba el 90% del mercado mundial de relojes.

Un buen día, un técnico de una de las mayores empresas de relojería mostró a sus jefes un nuevo modelo que acababa de inventar. Se trataba de un reloj electrónico de cuarzo. Su superior observó el prototipo y le dijo: «Esto no es un reloj. No tiene resortes ni rubíes», y no dio ninguna importancia al descubrimiento. Pero los japoneses y los estadounidenses sí se la dieron. Y el mundo entero también. Pusieron a la venta el reloj de cuarzo, y en 1982, el 90% del mercado que controlaban los suizos, se redujo al 15%. Perdieron el liderazgo y cincuenta mil puestos de trabajo por culpa de la nueva tecnología, ¡inventada por un suizo!

El problema es que cuando se cambia de tecnología —en el caso suizo, de relojes mecánicos a electrónicos—, la tecnología anterior, adquirida a lo largo de años de esfuerzos e investigaciones, se convierte en humo. Es preciso empezar de nuevo, y por eso es tan difícil cambiar. Pero el mercado mundial es extraordinariamente competitivo.

**Una empresa que tarda en cambiar de paradigma, pierde mercado a favor de otra que cambia más deprisa. Eso también vale para ti.**

# 22

# EL GRAN DESAFÍO



## EL MUNDO ESTÁ EN PERMANENTE TRANSFORMACIÓN. O CAMBIAS CON ÉL, O TE QUEDARÁS ATRÁS

Ya sabes que cuando el paradigma cambia, las oportunidades aumentan. También aumenta el trabajo, porque tenemos que adaptarnos rápidamente a la nueva situación, muchas veces empezando a partir de cero. Es mucho más fácil seguir con la vieja visión del mundo, haciendo lo que siempre se ha hecho, que adoptar una nueva y hacer lo que todavía no se ha aprendido. Pero es mucho mejor tener alguna oportunidad que no tener ninguna. Quien no se arriesga, no gana.

El problema es que la gente vive inmersa en su propio paradigma y no se da cuenta de ello. Sólo percibimos que existe cuando nos vemos fuera de él, como los peces del ejemplo de Adam Smith.

Yo doy un curso llamado «Sintonía» en el que la gente aprende a identificar su paradigma. Es interesante ver cómo cambian las personas cuando se altera su paradigma.

Una joven, por ejemplo, me comentó: «Tiene gracia, yo asistí al curso, pero fue mi novio quien cambió». Lo que en realidad cambió fue la percepción de la joven, y no su novio, pero él también puede mejorar al convivir con una persona que ha cambiado de paradigma.

El conocimiento llega al mundo de varias formas. ¿Quieres que te dé un ejemplo curioso? La corteza del quino, que los indios de la Amazonia utilizan para combatir la malaria, es en la actualidad uno de los únicos remedios para combatir esta enfermedad. ¿Cómo lo descubrieron los indios?

¿Nunca te hizo tomar tu abuela una taza de caldo de gallina antes de dormir para combatir el resfriado o el dolor de garganta? Tal vez ella

supiera que este caldo es rico en ortinina y arginina, dos aminoácidos que estimulan la producción de la hormona del crecimiento GH, que se libera tres horas después de dormirnos y que, una vez dejamos de crecer, facilita la transformación de la grasa en músculos y estimula el sistema inmunitario.

No, no creo que lo supiera. Pero sí sabía que el caldo de gallina es bueno, ¿no es así?

La mayoría de los descubrimientos en el campo de la farmacología han surgido del estudio de sustancias que antiguamente se sabía que curaban, aunque se desconociera por qué.

El hecho de desconocer el porqué no significa que una infusión o un buen caldo no funcionen. En resumidas cuentas, no todo lo que sabemos tiene una explicación científica. Y no todo lo que la ciencia explica hoy tendrá validez mañana.

Ya lo decía Einstein:

**«No es posible resolver problemas importantes en el mismo nivel de pensamiento en que esos problemas han surgido».**

*Incluso un reloj* **averiado** *da* **bien** *la hora dos veces al día*

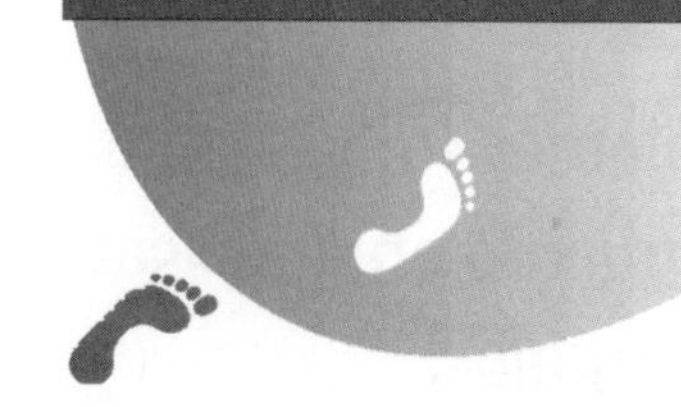

Para resolver un problema que parece no tener solución, es preciso ante todo cambiar el nivel de pensamiento, es decir, variar de paradigma. A cada nuevo problema, una nueva visión del mundo, un nuevo paradigma.



Esta idea resulta chocante para muchas personas. Como ya he dicho, al cambiar de paradigma, el conocimiento anterior no sirve de nada.

Te explicaré un caso que me ocurrió a mí mismo. Participaba en un programa de televisión, en Estados Unidos, dedicado a las fobias —miedos exagerados e inexplicables— junto con un psicólogo, un psiquiatra y un psicoanalista. Ellos ponían en duda que se pudiera curar una fobia en cinco minutos. Llamamos a una persona del público, y delante de ellos, le curé una fobia en cinco minutos. Obviamente, no se lo creyeron, y dijeron que no la había curado, que la había hipnotizado. No fueron capaces de admitir la posibilidad de una curación porque en su paradigma son necesarios meses o años para curar una fobia.

William James escribió con brillantez acerca de las ideas nuevas. Decía

que, en un principio, una idea nueva se considera ridícula. Más tarde es aceptada, e incluso considerada como algo evidente. Y al final, pasa a ser de dominio público. Es decir, lo obvio sólo lo es una vez que se ha descubierto.

**Si la única herramienta de que dispones es un martillo, pensarás que todo problema es un clavo.**

Eso lo dijo el escritor estadounidense Mark Twain. Y, bromas a parte, es una de las sentencias más inteligentes que conozco. Piensa que si tú fueras un psicólogo, intentarías resolver todos los problemas por medio de la psicología; si fueras un cirujano, tenderías a pensar que todos los problemas se pueden solucionar mediante la cirugía, y así sucesivamente.

Si una persona invierte toda la vida en una profesión —dándolo todo de sí, estudiando y trabajando al mismo tiempo, haciendo cursos de especialización en el extranjero, etc.—, es muy difícil que cambie todo eso y parta de cero para ponerse a hacer algo distinto. No las tendrá todas consigo, dudará, aunque el cambio sea para mejorar. Porque cada vez que cambiamos de paradigma, el conocimiento previo no sirve de nada, hay que empezarlo todo de nuevo.

¿Prefieres ser bueno en algo superado o ser un principiante en algo muy moderno?

Es como el contable que es un gran profesional, pero que lleva toda la contabilidad de su empresa a mano, sin la ayuda de un ordenador. Tiene miedo de ser considerado tan ignorante como el chico de los recados, que tampoco sabe nada de ordenadores. Sin embargo, negarse a asimilar un paradigma nuevo —como aprender a utilizar un ordenador— es condenarse al fracaso y exponerse a perder el empleo.

Hoy en día resulta casi imposible ignorar los ordenadores. Se han instalado definitivamente entre nosotros. Y quien no es capaz de adaptarse a los nuevos tiempos, se margina del proceso productivo y acaba quedándose sin trabajo. Puede que parezca mucho más fácil encajar los problemas en el paradigma que ya conocemos, pero no funciona.

## Cuando los paradigmas cambian, el mundo cambia con ellos.

Esta frase es de Thomas Kuhn, que se ha dedicado a investigar los mayores descubrimientos científicos de los últimos 400 años. También afirma que cuando un científico descubre un dato nuevo que no encaja en el paradigma en el que él está viviendo, reacciona de una de estas dos formas: o bien ignora el dato, o lo manipula de tal manera que sea posible encajarlo en su paradigma. Esas son las opciones más comunes.

Pero si ese científico optara por cuestionar el paradigma y transformarlo en uno nuevo, entraría en la historia de la ciencia, como Copérnico, Edison, Einstein y Galileo, genios todos ellos que cambiaron el curso de su propia historia y contribuyeron al progreso de la humanidad.

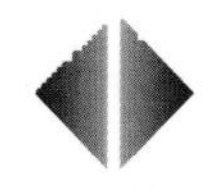

# 23

# LA VIDA ES MUY COMPLICADA



## SÓLO QUIEN ESTÁ MUERTO NO TIENE PROBLEMAS

Seguramente habrás oído decir muchas veces: «No te imaginas los problemas que tengo», o: «Para ti es fácil; no sabes las dificultades que tengo yo».

Claro, en la vida los problemas se suceden uno tras otro. La cuestión es cómo los encaramos y qué aprendemos de ellos. A partir del momento en que empieces a aprender de los problemas, tu vida mejorará:

Los problemas son nuestros mejores amigos.

Te explicaré lo que me pasó cuando tenía doce años, algo que cambió mi vida. Todo empezó con la desaparición del perro de mi vecina. Vivía en el estado brasileño de Minas Gerais, en una localidad que por aquel entonces era tan pequeña, que sólo tenía un policía, un cabo bastante ignorante. Mi vecina se quejó de que yo le había robado el perro, cuando ni siquiera sabía que tuviera uno. Me denunció a la policía y le mandaron una citación a mi padre.

Cuando le pedí a mi padre que me acompañara, se negó a hacerlo, alegando que era un problema mío y que tenía que resolverlo solo. Al final me acompañó mi tío, y al llegar, el cabo me acusó del robo del perro. Él insistía en que yo lo había robado, y yo, claro está, lo negaba.

La discusión se estancó ahí, y el cabo dijo que yo era un descarado por negar lo que él afirmaba y me puso una multa, convencido de que era el ladrón. Yo no sabía cómo la pagaría.

Por aquel entonces, por primera vez en mi vida, había ganado algo de dinero dando clases de recuperación a unos compañeros, y la multa ascendía a la misma cantidad que había ganado.

Mi padre me dijo que la pagara, puesto que tenía el dinero y era un problema mío. Así pues, el primer dinero que gané lo gasté en pagar una multa por un robo que no había cometido.

Fue duro, y durante algunos años pensé que mi padre se había comportado mal conmigo. El lado positivo de todo el enredo fue que, a partir de ese momento, tomé una de las decisiones más importantes de mi vida: ser económicamente independiente. Nunca más tuve necesidad de pedirle dinero a nadie.

Fue un gran problema en aquella época. Hoy doy gracias a Dios por la desaparición del perro. Como decía mi madre: «No hay mal que por bien no venga». Sin duda.

## Cualquier problema que tengas en la vida sirve de estímulo para que crezcas.

Si no tuvieras problemas que resolver en tu trabajo, perderías el empleo, pues entonces no serías necesario. El único lugar sin problemas es el cementerio. Allí todo es tranquilidad. Lo importante es el modo en que nos enfrentamos a los problemas.

# *Cuidado con* **preocuparte** *por* *la* **preocupación**

No es el problema lo que cuenta, sino el paradigma en el que lo sitúes.

La realidad es subjetiva. No puedes separarla de la percepción que tengas de ella. Pero es la mejor compañera para llegar a donde deseamos.

Un científico ruso que ganó el premio Nobel, Prigogine, planteó una pregunta interesante: ¿por qué existen cosas en el mundo que lo están deteriorando (edificios y máquinas, por ejemplo) y otras (como la sociedad y el cerebro humano) que lo hacen evolucionar?

Para dar una respuesta, dividió el mundo en dos sistemas, uno abierto y otro cerrado. El sistema abierto está en **sintropía** (hay intercambio de energía con el Universo), mientras que el sistema cerrado está en **entropía** (no hay intercambio de energía con el Universo).

¿Difícil? Sólo es cuestión de recordar que un sistema cerrado (entrópico) se consume a sí mismo, está en un proceso de deterioro y no tiene solución, mientras que un sistema abierto (sintrópico) intercambia energía con el Universo, está en expansión y tiene solución.

**Cualquier problema del ser humano es un problema de lenguaje. Y la solución está en el mismo lenguaje.**

Todo problema trae consigo la semilla de su solución. La vida sólo nos presenta problemas que podemos resolver, o en cuya solución podemos contribuir. A un mendigo no le importa en absoluto la deforestación de la cuenca amazónica; para él, lo más importante es un plato de comida. Por ello —y esto es importante, escríbelo con tinta roja en un cartel bien grande y cuélgalo donde puedas verlo—, si no eres capaz de resolver un problema, ignóralo.

**La preocupación sin acción es inútil.**

# 24

# TRABAJAS PARA TI MISMO



## TODO LO QUE MERECE SER HECHO MERECE SER HECHO CON PASIÓN

El secreto para obtener éxito y dinero en la vida es el trabajo. De otro modo no hay manera; el éxito nunca llegará si te quedas esperándolo en la playa, por ejemplo. Pero, por otra parte, no basta sólo con el trabajo, tampoco así se alcanza el éxito.

¿No es el obrero manual el que más horas trabaja y el que realiza un mayor esfuerzo físico? Se despierta a las cinco de la mañana, tiene que coger dos autobuses para llegar

al trabajo, se alimenta de comida fría de fiambrera, llega a casa hecho un asco y sólo ve a sus hijos los fines de semana. Este héroe, además, se jubila con un salario mínimo. Es como un neumático que derrapa en el barro: no se sale del lugar.

El secreto de la vida no es hacer lo que nos gusta, sino disfrutar con lo que hacemos. El hombre está hecho de un 90% de adaptación y un 10% de vocación, y no al revés.

**Es fácil hacer del trabajo algo interesante. Sólo es cuestión de poner interés en el trabajo.**

Voy a contarte un caso curioso que me ocurrió en mis tiempos de estudiante, cuando cursaba el segundo año de medicina.

El profesor de neurofisiología se ausentó y yo tuve que sustituirlo. Fui a dar la clase de anatomía y neurofisiología a los alumnos del

primer curso. ¿Sabes cuál fue el resultado? Que por primera vez entendieron lo que se les explicaba. Así se lo dijeron al profesor cuando volvió, y él, entusiasmado con lo que le habían contado, quiso hablar conmigo. Me preguntó de dónde había sacado el material para dar la clase, y le respondí que de sus apuntes. El profesor se sorprendió, y quedó bastante decepcionado.

Sí, el material era el mismo, pero no la energía y la disposición con que di la clase. La «marcha» era diferente.

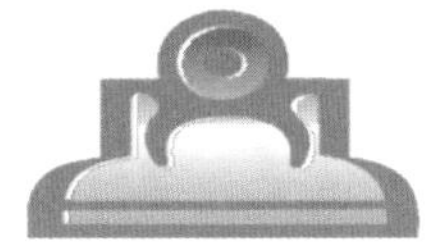

**Lo que hagamos con entusiasmo, lo haremos de un modo especial.**

Si a alguien que detesta hacer ejercicios aeróbicos le pagas para que los haga, tal vez acepte, aunque tendrás que insistir mucho. Pero hay miles de personas que pagan (y un buen dinero) para practicarlos. ¿Sabes por qué? Porque están motivadas.

La motivación es el combustible del trabajo. Cuando nos presentamos a alguien, siempre decimos: «Trabajo para tal empresa», ¿verdad?

# *Procura* **acertar** *a la* **primera**

¿Quieres un consejo? No lo digas. Pensar que trabajamos para una empresa o para otra persona es uno de los mayores errores que podemos cometer.

## Trabajamos para nosotros mismos.

La empresa o la persona con la que estás trabajando te proporciona un lugar, un despacho, tal vez incluso con teléfono, secretaria, fotocopiadora, etc. Pero, en el fondo, no trabajas para ellos; trabajas para ti con su ayuda. Aunque no quieras reconocerlo, siempre estás trabajando para ti. Tu éxito profesional depende de que así sea. Lo mismo puede decirse de los estudios: no estudias para tu profesor, sino para ti (puede incluso que tengas que recordar un montón de cosas

aburridas, pero les sacarás rendimiento cuando debas pasar el examen de ingreso a la universidad o enfrentarte al mercado laboral).

Te garantizo que si piensas así, obtendrás un mayor rendimiento en tu trabajo y tus estudios. Y todo el mundo saldrá beneficiado, sobre todo tú.

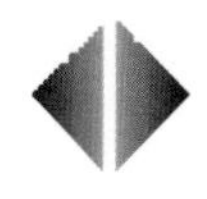

# 25

# LA SUERTE NO EXISTE

## ES LA DISCULPA DE QUIEN CULPA DE TODOS SUS MALES A LA «MALA SUERTE»

Seguramente habrás oído decir muchas veces: «Menuda suerte tiene fulanito...», o: «La suerte le sonríe».

Voy a dejar bien clara una cosa: la suerte no existe.

**La suerte se presenta cuando tu preparación personal encuentra una oportunidad.**

¿Qué te parece? Para explicarlo mejor, te contaré algo que me sucedió.

En el año 1975, yo vivía en Teófilo Otoni, una ciudad situada al nordeste del estado de Minas Gerais, en Brasil. Ya era médico, especializado en cardiología, y la tarde de un viernes recibí una llamada que cambió el rumbo de mi vida. Estábamos en vísperas de un largo fin de semana y tenía pensado descansar un poco cuando desde un hotel me comunicaron que había un huésped al que le dolía el pecho.

Estaba a punto de emprender viaje, de modo que pedí que llamaran a otro cardiólogo, pero ya lo habían intentado y yo era su única esperanza. Cambié de planes y acepté. Hice un electrocardiograma al huésped y descubrí que había sufrido un infarto de miocardio. Lo llevé sin perder tiempo al hospital.

Una vez allí, el paciente me preguntó si conocía a su hijo, Peter Maroko. Le respondí que sabía de él por sus trabajos en cardiología, pero que no tenía el placer de conocerlo personalmente. Peter era un personaje importante, el jefe del departamento de Investigación de la Universidad de Harvard. Dos días más tarde, llegó de Estados Unidos para colaborar en el tratamiento de su padre. Se quedó con nosotros quince días.

Un día antes de que se marchara, yo tenía que dar un seminario a los médicos del hospital, de todas las especialidades, sobre las arritmias en el infarto agudo de miocardio. Pues bien, como Peter quería asistir también, pedí permiso a mis colegas para subir el nivel de la conferencia, pues al fin y al cabo, se trataba de un prestigioso médico de una de las principales universidades de Estados Unidos. Terminado el seminario, Peter se acercó a mí y me preguntó: «¿Te gustaría ir a Harvard?».

¿Te lo imaginas? Cuando explico esta historia, los demás dicen que soy un tipo con suerte, pues estaba perdido en una ciudad del interior de Brasil, y de repente, me invitaron a ir a la Universidad de Harvard. Siempre digo lo mismo: ¡la suerte no tuvo nada que ver!

Yo estaba preparado, había estudiado mucho, y de pronto surgió una oportunidad. De no haber contado con la preparación suficiente, no me habrían invitado. Sencillamente, mi preparación lo fue todo.

¿Quieres un consejo? Procura estar preparado en todo momento, y las oportunidades surgirán de forma natural.

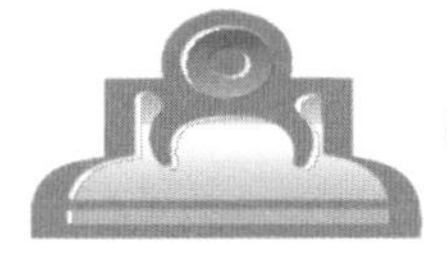

**Quien no está preparado pierde las oportunidades, y a veces, ni siquiera las percibe.**

# *No des* **suerte** *a la* **mala suerte**

# 26

# LAS COSAS CAMBIAN

## NO HAY BIEN QUE DURE PARA SIEMPRE NI MAL QUE NUNCA SE ACABE

Hay un refrán muy popular que supongo que ya habrás oído muchas veces: «No hay mal que por bien no venga». Si no crees en él, deberías hacerlo, pues es una gran verdad. Hay cosas que, en el momento en que ocurren, tienen el efecto de una bomba, pero cuando el polvo se ha disipado, descubrimos que en realidad han sido ventajosas.

## Todo lo que sucede en la vida puede tomarse como una suerte o como una desgracia. Depende de lo que venga a continuación.

Una parábola china lo explica muy bien.

Érase una vez un pobre niño que estaba sentado en la calle, frente a su casa. Estaba muy triste, porque lo que más deseaba en el mundo era un caballo, pero no tenía dinero para comprarlo. Justamente ese día pasó por allí una manada de caballos, y el último, incapaz de acompañar al grupo, era un potrillo. El dueño de la manada sabía cuál era el mayor deseo del niño y le preguntó si quería el potro. Sonriendo de felicidad, el niño lo aceptó.

Un vecino que había presenciado la escena se fue corriendo a ver al padre del niño y le dijo: «¡Menuda suerte tiene tu hijo! Quería un caballo y ha pasado un hombre y le ha regalado uno». El padre lo miró y respondió: «Tal vez sea una suerte o tal vez sea una desgracia».

El niño cuidó del potro con cariño mientras crecía, pero un buen día, cuando ya era un hermoso caballo, huyó. En esa ocasión, el vecino le dijo al padre: «¡Qué mala suerte ha tenido tu hijo! Cuida del caballo desde pequeño, y cuando crece, se le escapa». El padre respondió lo mismo: «Tal vez sea una suerte o tal vez sea una desgracia».

Pasó el tiempo, y un día el caballo volvió seguido de una manada salvaje. El niño, que se había convertido en un muchacho, consiguió capturarlos y se quedó con ellos. El vecino entrometido volvió a decirle al padre: «¡Realmente tu hijo tiene suerte! Cría un potro, se le escapa ¡y vuelve a casa con una manada!». El padre miró al vecino y respondió, como siempre: «Tal vez sea una suerte o tal vez sea una desgracia».

Tiempo después, el muchacho estaba domando uno de los caballos cuando se cayó y se rompió una pierna. El vecino, que andaba cerca, le dijo entonces al padre: «¡Esto sí que es mala suerte! El caballo huye, vuelve a casa con una manada salvaje, y tu hijo, después de un tiempo de felicidad, se pone a domar a los animales y se rompe una pierna». El padre, con la misma tranquilidad de siempre, le contestó: «Tal vez sea una suerte o tal vez sea una desgracia».

Días más tarde, el reino donde vivían declaró la guerra al reino vecino, y llamaron a las armas

# *Lo que no* **cuadra** *con su dueño es* **robado**

> a todos los jóvenes, menos al muchacho, porque tenía la pierna rota. El vecino, desesperado porque habían reclutado a su hijo, se lamentó al padre del joven: «Tu hijo sí que tiene suerte. Bendita la hora en que se rompió la pierna». El padre lo miró fijamente y le dijo: «Tal vez sea una suerte o tal vez sea una desgracia».

¿Lo has entendido? Así es la vida. Lo que en determinado momento puede que sea una desgracia, acaba convirtiéndose en una suerte, y viceversa. De modo que no te desesperes por tu aparente mala suerte y trabaja como es habitual, o todavía con más voluntad. Las cosas pueden cambiar —y de hecho cambian— de un día para otro.

*El* **pájaro,**
*para volar,*
*necesita* **dos alas**

# 27

# APROVECHA EL TIEMPO



## HAZ SÓLO LO QUE PUEDAS HACER

Métete esto en la cabeza: no sirve de nada hablar y hablar. Uno de los secretos de la vida es conseguir que las cosas ocurran, porque lo que interesa siempre es el resultado.

Pero para conseguir que las cosas ocurran, tienes que saber cuál es la diferencia entre la eficiencia y la eficacia.

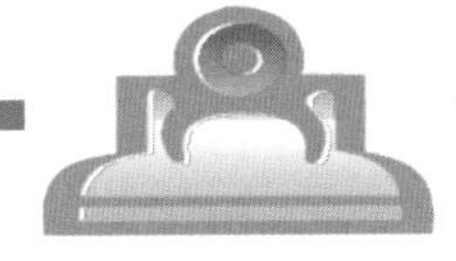

**La eficiencia es hacer las cosas bien hechas. La eficacia es hacer lo que hay que hacer.**

Son dos definiciones muy parecidas, ¿verdad? Pero fíjate bien en el significado. Puede que seas una persona eficiente, pero no eficaz; o puede que seas eficaz, pero no eficiente. Lo importante es contar con ambas cualidades.

Piensa en un caballo de carrusel; es muy eficiente para dar vueltas y más vueltas, pero su eficacia en cuanto a medio de locomoción es nula. Procura evitar ser así en la vida: ser muy eficiente y nada eficaz.

Conozco un caso curioso que ocurrió en Estados Unidos hace mucho tiempo. En aquel entonces, cuando el cabeza de familia compraba una nevera nueva, guardaba la vieja en el sótano. Eran unas neveras que tenían cierres como los de las cámaras frigoríficas de una carnicería, es decir, sólo se podían abrir desde fuera.

El problema era que muchos niños, cuando jugaban en el sótano, se quedaban encerrados dentro de la vieja nevera; muchos murieron ahogados.

Comenzó a haber muchas reclamaciones, y

entonces los fabricantes crearon un sistema que permitía abrir la nevera también por dentro, por medio de una manecilla dispuesta en el interior. Pronto se hizo una amplia campaña publicitaria a nivel nacional para mostrar la nueva aplicación para los niños.

Cuando ya estaba todo preparado para lanzar al mercado el sistema, apareció alguien muy imaginativo —que había tenido la habilidad de cambiar su paradigma— y dijo: «¿Y si colocáramos imanes en la puerta de la nevera de manera que se pudiera abrir con poco esfuerzo desde dentro?».

Fue una revolución. Ante la eficacia del nuevo sistema, toda aquella eficiencia usada en el cierre interior y en la campaña publicitaria no servía para nada. Resultó ser un invento tan bueno, que hoy en día aún sigue usándose.

Si consigues cambiar tu actitud mental y aumentar la eficacia de tu mente, las oportunidades de alcanzar tus metas aumentarán proporcionalmente. Piensa en ello y haz las cosas bien hechas. Y antes de empezar a hacer algo, pregúntate a ti mismo: «¿Realmente es necesario que lo haga?». Si la respuesta es que no, no pierdas el tiempo, desiste de hacerlo. El tiempo es valioso y se debe usar correctamente.

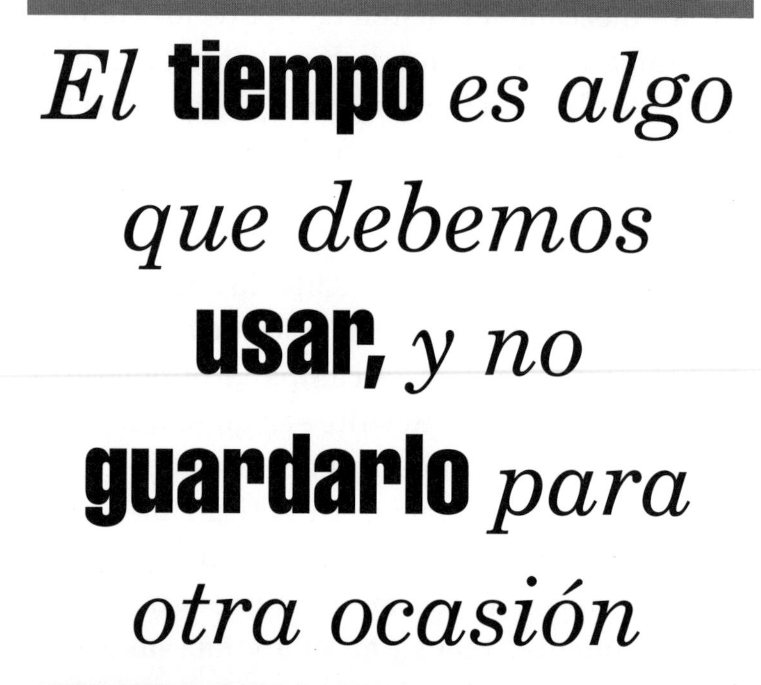
*El* **tiempo** *es algo que debemos* **usar,** *y no* **guardarlo** *para otra ocasión*

# 28

# LA CABEZA EN LAS ESTRELLAS



## LO IMPOSIBLE NO EXISTE PARA QUIEN PIENSA A LO GRANDE... Y ACTÚA PARA CONSEGUIRLO

La ambición es la base de todo. Por supuesto, no hay que confundir la ambición con la envidia, que es desear aquello que tienen los demás.

Sin ambición, no se consigue nada. Si no deseas nada, no saldrás de donde estás. Piénsalo bien y verás que todo lo que has hecho en tu vida empezó con una ambición.

Si has llegado a la conclusión de que no necesitas nada más en la vida y que has conseguido todo lo que te habías propuesto, perdóname, pero estás muerto y no te enteras de nada. La muerte llega antes para quien ya no tiene ninguna ambición.

En cierta ocasión, mientras daba un curso sobre el éxito en Estados Unidos, se levantó un señor de la primera fila y dijo: «Estoy de acuerdo con usted en todo lo que ha dicho hasta ahora, pero le explicaré mi caso: conduzco un camión de reparto de galletas desde hace treinta años, me despierto cada día de madrugada, me subo al camión y reparto las galletas a las panaderías. Cuando llego a casa del trabajo, limpio el camión y lo dejo todo preparado para el día siguiente. Estoy a punto de jubilarme y tengo la intención de seguir haciendo lo mismo, es decir, conducir mi camión, hasta que me jubile. No quiero hacer cosas nuevas y difíciles».

¿Sabes cuál fue mi respuesta? «Felicidades. Alguien tiene que encargarse de repartir las galletas. Ahora bien, si usted le echa la culpa al gobierno, a la crisis o a la inflación por tener este trabajo y protesta y se queja de que no hace lo que le gustaría hacer, entonces no irá a ninguna parte. Nadie debe culpar a los demás por no estar satisfecho con su vida.»

Debes mirarte a ti mismo y buscar en lo más hondo de tu mente la voluntad de prosperar en la vida, la ambición positiva.

**Si sigues haciendo lo que siempre has hecho, seguirás obteniendo lo que siempre has obtenido.**

¿Estás dispuesto a cambiar, a conseguir algo distinto? Piensa a lo grande, y entonces, haz algo diferente. ¡Acción! ¡Manos a la obra! No te pongas a pensar en grandes cambios así, de repente, pero sí en las pequeñas cosas que haces cada día.

Imagina tu vida como el vuelo de un avión: te diriges a São Paulo procedente de Europa. Si cambias tan sólo algunos grados el rumbo cuando estés sobrevolando el Atlántico, puede que aparezcas en cualquier otro lugar, lejos de tu destino. Así es la vida: pequeños cambios diarios alteran el rumbo de nuestra existencia. Al principio parece que nada cambia, pero conforme va pasando el tiempo, esos pequeños cambios significarán una gran diferencia en tu destino. ¿Comprendes?

No tengo la pretensión de que te conviertas en un genio de la noche a la mañana, pero quiero dejar bien claro que si llevas a cabo pequeños

cambios de actitud en tu vida cotidiana con el objetivo puesto en el éxito, éste llegará.

Otra cosa muy importante para que consigas rendir al máximo de tus posibilidades:

**Debes hacer las cosas sin que sea necesaria demasiada fuerza de voluntad, trabajando en armonía con tus deseos más íntimos.**

¡Disfruta de lo que haces y sé espontáneo! De esta manera te resultará mucho más fácil alcanzar tus objetivos.

No consigo entender eso que dicen ciertas personas: «Ya no me queda nada más que hacer en esta vida». ¡No lo digas nunca! ¿Sabías que las probabilidades de que una persona padezca un ataque al corazón se triplican después de la jubilación? Quienes permanecen en activo y siguen trabajando, viven más tiempo.

Cuando te despiertes un lunes y sientas que va a ser uno de esos días duros en los que tienes que resolver un montón de cosas, mués-

trate feliz, pues eso significa que eres útil, que la sociedad y el mundo te necesitan.

Ni se te ocurra caer en la palabrería de las excusas fáciles, diciendo cosas como: «Esto es imposible», «No lo conseguiré» o «No hay nada que valga la pena». Porque si piensas así, aunque te esfuerces no lo conseguirás.

**Lo imposible es aquello que nadie ha conseguido hacer, hasta que alguien lo hace.**

¿Durante cuánto tiempo se pensó que era imposible que un hombre corriera los cien metros lisos en menos de diez segundos? Hasta los Juegos Olímpicos de México de 1968, cuando el estadounidense Jim Hines dejó la marca en 9,95 segundos y asombró al mundo. Después de él, varios atletas cruzaron esa barrera. Ahora ya es algo normal.

El mundo evoluciona sin parar. Vivimos y trabajamos en un sistema donde todo es posible. Basta con que confíes más en tu capacidad, te atrevas, y sobre todo, lo quieras.

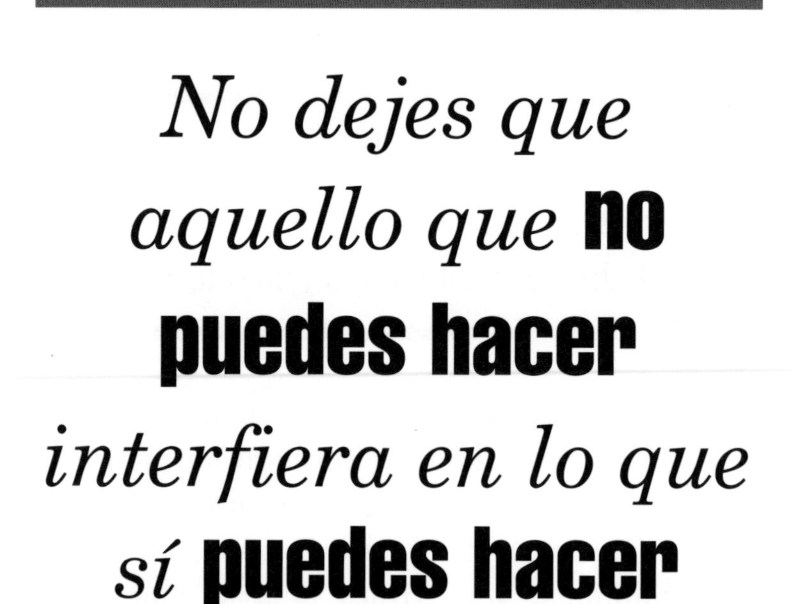

*No dejes que aquello que* **no puedes hacer** *interfiera en lo que sí* **puedes hacer**

# 29

# LOS PIES EN EL SUELO



## DE NADA SIRVE FILOSOFAR: ERES EL RESPONSABLE DE TU VIDA

Muchas personas viven como meros espectadores, se dedican a observar cómo pasa la vida. Tardan demasiado en vincularse a lo que está ocurriendo, y cuando quieren darse cuenta, comprenden que han desperdiciado un tiempo precioso en tonterías.

¿Quieres un consejo gratis? No seas así. ¡Actúa! Sin acción no hay evolución, y siempre serás un simple observador, perderás oportunidades y deja-

rás que otros hagan las cosas en tu lugar. Mi abuela solía decir: «En cabeza ociosa mora el diablo». Quería decir que si no llevas a cabo una actividad que valga la pena, si no eres productivo ni haces nada que te guste, es mucho más fácil que caigas pendiente abajo.

## Tu vida es sólo tuya.

Nadie vive tu vida por ti. No te preocupes demasiado por lo que otras personas piensen, no seas de esos que dicen: «¿Qué pensarán mis amigos de esto?», o: «¿Qué dirán los demás de mí?». No entres en ese juego, porque si lo haces, llegará un momento en que vivirás la vida de otras personas y te olvidarás de la tuya. Confía más en tus capacidades. ¡Sé más tú mismo!

Nunca aplaces nada. Haz siempre todo lo que puedas. Evita pensamientos del tipo: «Sólo estaré en condiciones de explicar esto cuando haya leído esos cuatro libros». Recuerda que los conocimientos de la humanidad se duplican cada cuatro años. El volumen de información es muy grande y es imposible abarcarlo todo. ¡Ponte en acción! De otro modo, la vida irá pasando y acabarás por no hacer nada. El filósofo alemán Goethe tiene una frase que encaja como un guante en esta idea:

**Si crees que puedes o sueñas que puedes, empieza. La osadía proporciona genialidad, poder y magia. Atrévete a hacer y el poder te será dado.**

Es una frase muy acertada, ¿no? Otra frase, esta de Henry Ford, también es muy adecuada:

**Tanto si piensas que puedes como si piensas que no puedes, de cualquier modo estás en lo cierto.**

# *El* **final** *es siempre un nuevo* **comienzo**

Actuar es fundamental. No importa si el resultado es bueno o malo, ni sirve de nada dedicarse a buscar chivos expiatorios. La vida que tienes, te la has creado tú.

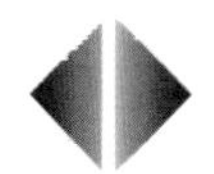

**Para: Ti**
**De: Lair Ribeiro**

¡Hola! Es estupendo que hayas llegado hasta aquí. Ya te queda poco para llegar al final.
El mundo es de aquellos que se dan cuenta de que la vida es una maratón y no una carrera de 100 metros lisos.
Entonces, ¿te ha gustado lo que has leído hasta ahora? Procura reflexionar sobre lo que has aprendido y aplicarlo día a día.
Quiero que sepas que ha sido muy grato para mí compartir contigo mis conocimientos. Sé que en tu vida, tanto en los momentos de tristeza como en los de alegría, recordarás lo que has aprendido aquí.
Evita el mal. Haz el bien.
Vive tu vida plenamente.

Hasta pronto.

# LOS HEMISFERIOS CEREBRALES

## TEST SOBRE TU PREFERENCIA

Seguro que has tenido que hacer muchos tests en tu vida. El que te presento a continuación te servirá para identificar el hemisferio cerebral (derecho o izquierdo) que predomina en tus actitudes:

**PRIMER PASO**

Da a cada palabra de la lista un valor de 1 a 5, según te identifiques más o menos con ella (cuanto mayor sea la identificación, mayor será el valor que deberás anotar).

| | |
|---|---|
| 1. PENSADOR | |
| 2. SOÑADOR | |
| 3. MINUCIOSO | |
| 4. VISIONARIO | |
| 5. HABLADOR | |
| 6. IDEALISTA | |
| 7. ORGANIZADO | |
| 8. EXCÉNTRICO | |
| 9. PRECISO | |
| 10. IMAGINATIVO | |
| 11. CONTROLADO | |
| 12. MUSICAL | |
| 13. PERSISTENTE | |
| 14. ARTÍSTICO | |
| 15. MATEMÁTICO | |
| 16. EMOTIVO | |
| 17. CALCULADOR | |
| 18. CREATIVO | |
| 19. PREVISIBLE | |
| 20. ROMÁNTICO | |

Las palabras de los números impares tienen que ver con el hemisferio izquierdo, y las de los números pares, con el hemisferio derecho.

## SEGUNDO PASO

Suma todos los valores de las palabras correspondientes a los números impares de la lista (hemisferio izquierdo) y anota el resultado.

Suma todos los valores de las palabras correspondientes a los números pares de la lista (hemisferio derecho) y anota el resultado.

Anotados ya los valores, localízalos en el gráfico siguiente:

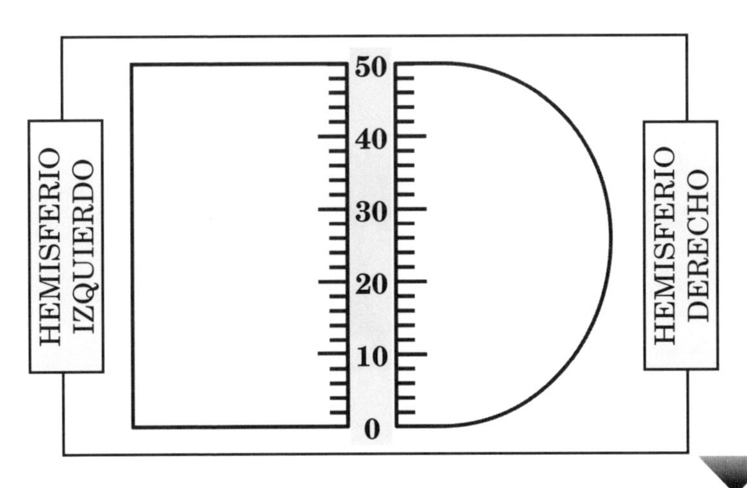

**Observación:** Una diferencia igual o superior al 10% indica que utilizas predominantemente uno de los dos hemisferios, el izquierdo o el derecho.

Ahora que ya sabes cuál es el hemisferio predominante en tus acciones, ¿qué tal si lees otra vez las páginas de este libro que hablan de las actitudes relacionadas con cada uno de los dos hemisferios?

# 31

# SER TU PROPIO DUEÑO



## PROSPERAR EN TU PROPIO NEGOCIO

«¿Qué vas a ser cuando seas mayor?» El muchacho escucha esta pregunta muchas veces y va alimentando sueños sobre la profesión que más le atrae. Cuando de verdad tiene que decidirse, a la hora de entrar en la universidad o de seguir un curso técnico, muchas veces duda, e incluso puede cambiar de objetivo y tomar otro rumbo completamente distinto al darse cuenta de que no era aquello lo que deseaba. Mejor que sea así, en lugar de atarse para toda la vida a un trabajo que no le gusta.

Cada vez se extiende más entre los jóvenes el temor a no encontrar un empleo cuando terminen sus estudios. En realidad, el desempleo es una amenaza que preocupa a mucha gente. Muchas personas soportan cualquier situación para conservar un trabajo que les garantiza un salario seguro a final de mes y les proporciona una sensación de estabilidad.

Pero nada es estable en el mundo actual: todo se transforma a una velocidad nunca conocida antes. La tecnología y las relaciones económicas están cambiando completamente, y está claro que el trabajo de la gente también cambiará.

El empleo tradicional se está acabando. Puede que trabajes en una empresa, ganes tu salario y de esta manera progreses en la vida, pero cada vez es más improbable permanecer mucho tiempo en un mismo trabajo.

Y como las relaciones laborales están cambiando, mucha gente, cada vez más, se plantea la posibilidad de montar su propio negocio y ser su propio dueño.

¿Cómo saber cuál es el momento propicio

para hacerlo? ¿Y qué es necesario para conseguirlo?

Ante todo, debes saber exactamente qué deseas hacer, aunque para ello debas «fastidiarte» durante un buen tiempo como simple empleado o aprendiz, o estudiar mucho.

Para abrir un negocio propio, lo que está claro es que necesitarás dinero. Con la ayuda de la familia o de los amigos, o ahorrando durante algún tiempo, supongamos que consigues lo necesario para empezar. Pero el dinero no lo es todo. Sólo tendrás un negocio cuando existan compradores para el producto o el servicio que vendas.

Si tienes el producto (o el servicio) y los clientes, ¿qué más necesitas? Talento. Cuando un jugador de fútbol sale al campo, puede que lleve la más bonita de las camisetas y que sepa lanzar el balón con mucha potencia, pero como no tenga talento para este deporte, ¿de qué le servirá todo eso? Y además de talento, es preciso comprometerse con la calidad. Cuando pagas por algo, ¿no exiges que lo que compras sea perfecto? Los consumidores son cada vez más exigentes y la competencia en el mercado es muy fuerte, de modo que debes hacer tu trabajo a la perfección.

Sé, simplemente, el mejor en el campo en el que trabajes.

Imagina a dos adolescentes que son muy amigos y que van siempre juntos a la playa porque les encanta hacer surf. Se parecen en muchas cosas, excepto en el rendimiento escolar. Los llamaremos Armando y Cláudio.

Armando decide hacer los exámenes de acceso a la universidad para entrar en la Facultad de Económicas, estudia mucho y aprueba con facilidad. Cláudio, por presiones familiares, se presenta a los exámenes para entrar en la Facultad de Ingeniería, pero no es capaz de concentrarse en los estudios y sólo se encuentra a gusto cuando está haciendo surf. No consigue aprobar y acaba sintiéndose fatal, pero cuando va a hacer surf se olvida de todos sus problemas, y le gusta tanto practicar este deporte, que decide construirse él mismo una tabla nueva, con la ayuda de Armando.

Su tabla tiene un gran éxito en la playa, y otro surfista le encarga una igual. En poco tiempo, Cláudio y Armando tienen varios pedidos de tablas y comprenden que aquello les puede dar dinero. Lo curioso es que Armando, que ya está estudiando Económicas, demuestra ser un gran artesano en la fabricación de tablas, mientras que es Cláudio quien se dedica a las ventas y a dirigir el negocio.

Un año más tarde, lo que al principio era

pura diversión se ha convertido en una empresa. Armando se desempeña tan bien en el taller de tablas, que ha dejado la facultad para dedicarse a su nueva profesión, y además investiga a través de Internet para perfeccionar sus conocimientos en la técnica de construir tablas. Y Cláudio, a quien no le gustaba estudiar, ha vuelto a presentarse a los exámenes de acceso a la universidad y ha aprobado, porque la práctica le ha demostrado que tiene talento para... administrar empresas.

Sólo es bueno en su negocio quien disfruta con lo que hace. Ese es el principal secreto.

*Sólo tiene* **poder**
*quien tiene*
*la capacidad*
*de* **hacer**

# 32

# PREVÉ TU FUTURO



## VIVE COMO UN PILOTO DE AVIACIÓN

Cuando vas en bicicleta, tienes que estar atento a lo que ocurre algunas decenas de metros delante de ti.

Cuando conduces un coche, debes observar lo que ocurre a una manzana de distancia. Pero si vas por una autopista a 120 kilómetros por hora, es decir, cuando recorres dos kilómetros por minuto o más de 33 metros por segundo, tienes que poder divisar lo que ocurre a centenares de metros frente a ti, y además, has de ser capaz de tomar decisiones rápidas ante cualquier imprevisto.

Si pilotaras un avión a reacción y volaras a más de 300 metros por segundo, tendrías que estar pendiente de lo que sucede muchos kilómetros por delante de ti.

En la vida profesional, has de prever el futuro en esta misma proporción si pretendes llegar en condiciones a la meta deseada. Ya he dicho que la tecnología está cambiando a una velocidad nunca vista hasta ahora, al igual que los hábitos de los consumidores.

> Para prosperar en cualquier negocio, es necesario estar al día de los cambios en el mercado. Siempre lo digo. Pues quien se duerme en los laureles del éxito, cuando menos se lo espera pierde su lugar.

«Hazte la fama y échate a dormir» es un viejo refrán que ya no nos sirve para nada.

Si estás a punto de establecerte por tu cuenta, pregúntate antes: ¿Cómo irá este trabajo de aquí a un año? ¿Y dentro de dos? ¿Y dentro de cinco? Sobre todo si tienes que invertir en equipo, asegúrate bien.

¿Por qué no entrar en el negocio innovando de buenas a primeras? Plantéate cómo podrías hacerlo, y al mismo tiempo, sé atrevido. Ya desde el principio llamarás la atención.



Pero prepara bien el terreno. Si tienes una buena visión de futuro, procura no hacer las cosas antes de tiempo, pues algunos proyectos también fracasan por esta causa.

Imagina a un niño, un pigmeo y un enano, los tres con la misma altura, poco más de un metro. A pesar de que tienen el mismo tamaño, sus potenciales son totalmente distintos.

El niño crecerá y dentro de unos años será mucho más alto que el pigmeo o el enano.

El pigmeo ya no crecerá más porque es un adulto. Además, esa es su altura normal, y si creciera quedaría totalmente fuera de lugar entre los suyos. ¿Dónde se ha visto un pigmeo alto? ¿Y el enano? Tampoco crecerá más, pero por una cuestión de estructura genética.

Piensa ahora en tres empresas del mismo tamaño (o en tres personas con el mismo nivel profesional): una puede ser como el pigmeo, que nació para ser pequeño y esa es su naturaleza; otra puede ser como el enano, que no crecerá más porque en su estructura hay un problema, y otra puede ser como el niño, que aún es pequeño pero crecerá.

Tal vez ahora tengas un trabajo de mucho éxito, pero contentarte con eso sería como si pusieras todos los huevos en el mismo cesto. Si se te cae, lo pierdes todo.

Puedes empezar haciendo sólo una cosa, pero no te puedes pasar la vida haciendo solamente eso, y haciéndolo siempre de la misma manera, porque el mercado no te lo permitirá.

Uno de los principales fabricantes de automóviles europeos, la empresa Opel, empezó construyendo máquinas de coser. ¿Qué pasó con los grandes fabricantes de máquinas de escribir cuando el ordenador personal tomó el relevo? Los que no supieron diversificarse a tiempo se arruinaron. Siguiendo con este ejemplo, muchos jóvenes que antes se divertían con sus ordenadores hoy siguen divirtiéndose... y ganando mucho dinero con su afición.

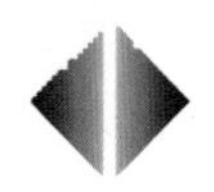

*Haz* **hoy** *lo que podrías hacer* **mañana**

*El optimismo por sí solo no resuelve nada; el pesimismo es un impedimento.*

# 33

# VISIÓN GLOBAL



## SI NO ERES EL MÁS GRANDE, PUEDES SER EL MÁS RÁPIDO

¿Sabes cuál es la diferencia entre un helicóptero y un buitre?

El helicóptero permite una buena visión de conjunto cuando sobrevuela una determinada zona, y si es necesario observar algún detalle, puede detenerse, aún volando, sobre un determinado punto e incluso posarse allí mismo. El buitre vuela en círculos y más círculos, allá en lo alto, y sólo desciende cuando su presa es ya un despojo...

Algunas personas hacen como el helicóptero. Tienen visión de conjunto, y al mismo tiempo perciben los detalles, lo cual les permite actuar cuando es necesario. Y mucha gente hace como el buitre, que sólo cae en la cuenta del problema cuando ya no tiene tiempo para resolverlo.

Nuestro cerebro tiene la capacidad de ocuparse de los aspectos generales y también de centrarse en los pequeños detalles. Pero, como todo en la vida, tenemos que insistir y «machacar», hacer «gimnasia mental», para desarrollar esta capacidad.

¿Cómo se hace esto? Puedes practicar en todo lo que hagas en tu vida cotidiana. Cuando estés estudiando con un libro, por ejemplo: empieza por leerte el índice, después hojéalo todo rápidamente y procura comprender, en líneas generales, de qué se trata. A continuación vuelve al índice, percibiendo cada capítulo, cada apartado, en relación con el todo, es decir, «sobrevolando» el libro como si fueses un helicóptero. Hazlo así siempre.

Cuando entres en un taller mecánico fíjate en el ambiente. Durante mucho tiempo se ha creído que cuanto más sucio de grasa se encontrara un taller, o incluso una fábrica, mejor era el trabajo que se hacía allí.

Hoy este concepto ha cambiado. Si visitas una industria japonesa, por ejemplo —ya sea de automóviles, de barcos, de maquinaria pesada o de cualquier otra cosa—, lo encontrarás todo absolutamente limpio. Verás plantas y acuarios con peces en el ambiente de trabajo, para demostrar que allí incluso el aire está perfectamente limpio.

Y eso no hace que la productividad sea menor. Muy al contrario.

Tu ambiente de trabajo y tu apariencia personal conforman tu imagen. Cuando tienes la intención de contratar a alguien para cualquier cosa, ¿no es la imagen de esa persona lo primero en lo que piensas? Imagina entonces cómo apareces tú en la mente de quien piensa en ti…

# *Tu gran* **oportunidad** *está muy* **cerca** *de ti*

# 34

# PARA TERMINAR, OTRA HISTORIA



En un pueblo de Grecia vivía un sabio, famoso por tener respuesta para todas las preguntas que se le hacían. No fallaba nunca, siempre daba en el blanco.

Un día un joven pensó: «Creo que sé cómo engañar al sabio. Llevaré un pájaro en la mano y le preguntaré si está vivo o muerto. Si dice que está vivo, apretaré la mano y lo mataré. Si dice que está muerto, abriré la mano y dejaré que eche a volar. ¡Me gustará ver cómo se las arregla para salir de esta!».

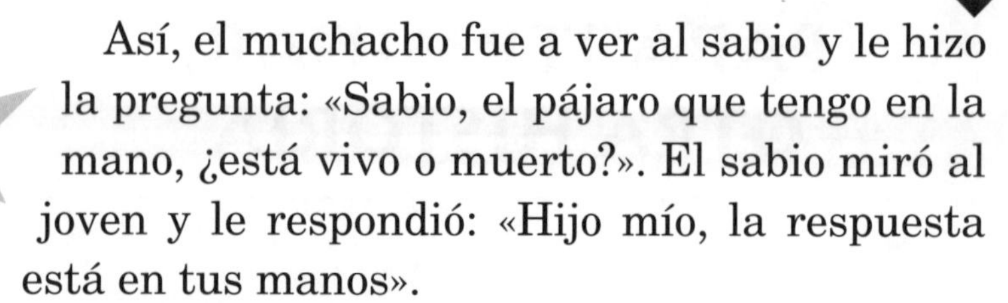



Así, el muchacho fue a ver al sabio y le hizo la pregunta: «Sabio, el pájaro que tengo en la mano, ¿está vivo o muerto?». El sabio miró al joven y le respondió: «Hijo mío, la respuesta está en tus manos».

Lo mismo te digo. Con este libro has recibido una serie de orientaciones y consejos que pueden modificar tu vida, pero todo está en tus manos.

Tú eres quien tiene que decidir si estás preparado para asumir tu vida, más aún, para cambiarla, para vivir plenamente y hacer realidad tu potencial. Depende de ti, aunque te garantizo que está al alcance de tu mano. Se trata sólo de tener los pies firmemente apoyados en el suelo, mirando a la vida cara a cara, y la cabeza, atreviéndote a todo, en las estrellas.